Quilts para regalar a los más pequeños

Quilts para regalar

a los más pequeños

Barri Sue Gaudet

Editora: Eva Domingo

Título original: *Quilt a Gift for Little Ones*, de Barri Sue Gaudet
Publicado por primera vez en inglés en UK y USA en 2011 por David & Charles, un sello de F&W Media International, LTD. Brunel House, Forde Close, Newton Abbot, TQ12 4PU, UK.

Marqués de Urquijo, 34. 28008 Madrid
Tel.: 91 559 98 32. Fax: 91 541 02 35
E-mail: info@editorialeldrac.com
www.editorialeldrac.com

Fotografías: Sian Irvine y Joe Giacomet
Diseño de cubierta: José María Alcoceba
Traducción: Ana María Aznar
Revisión técnica: Laia Jordana

ISBN: 978-84-9874-260-2

Índice

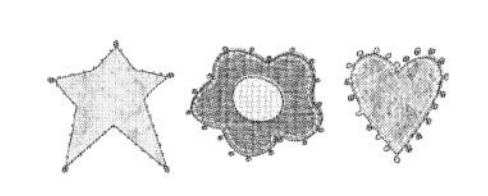

Introducción 6

BIENVENIDO BEBÉ 9
Fundas para biberón 10
Botas calentitas 13
Guirnalda de bienvenida 16

PARA EL RECIÉN NACIDO 21
Colgante de puerta Sol y Luna 22
Bolsa para el sillón 24
Cigüeñas en el moisés 28

HA SIDO NIÑA 35
Adornos florales 36
Organizador de pared 38
Quilt de flores para cuna 42

HA SIDO NIÑO 47
Almohada Dulces sueños 48
Bolsa para pañales 50
Protectores de cuna 54
Quilt Caballito balancín 57

DULCES RECUERDOS 63
Banda para álbum de fotos 64
Tablero de recuerdos 66
Un álbum para presumir 70

A CASA DE LA ABUELA 75
Toalla de baño con conejito 76
Conejito quitapenas 78
Bolsa con casita 81

JUEGOS 87
Bloques de construcción 88
Libro de cuentos 90
Quilt alfombra blandita 94

Técnicas básicas 100
Plantillas 106
Índice alfabético 126
La autora 127
Agradecimientos 127
Otros títulos publicados 128

Introducción

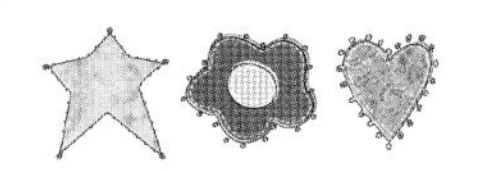

La espera de un bebé es la ocasión ideal para realizar un primer regalo que se conservará como un tesoro. En este libro se ofrece una colección de artículos perfectos para recibir al recién nacido. Los proyectos diseñados para el pequeño son adecuados para distintos niveles de conocimiento y experiencia, tanto para principiantes como para quienes tengan práctica. Estos regalos especiales para bebé incluyen técnicas como costura a mano, unión de piezas de patchwork a máquina, puntos de bordado fáciles o aplicaciones sencillas. Los regalos que se confeccionen en una tarde, en un día completo o en una semana, serán muy bien recibidos por la nueva familia.

Son varias las ocasiones que se presentan para hacer un regalo a un recién nacido. La presentación del bebé es un buen momento para sorprender a la nueva mamá con encantadores artículos confeccionados a mano, con los que dar la bienvenida al pequeño. El bebé se sentirá muy a gusto en un moisés con un forro blando y bonito y una manta a juego. La mamá también merece un regalo, como una práctica bolsa en la que reunir todo lo del bebé. Hay labores para decorar habitaciones de niño y de niña. Son proyectos intercambiables y los motivos que se presentan combinan perfectamente con cualquier decoración.

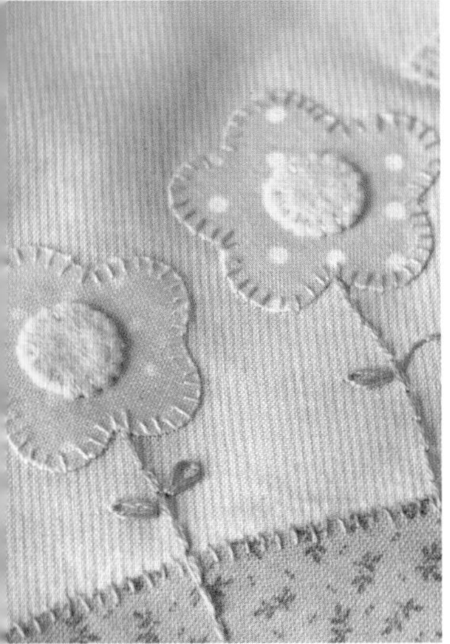
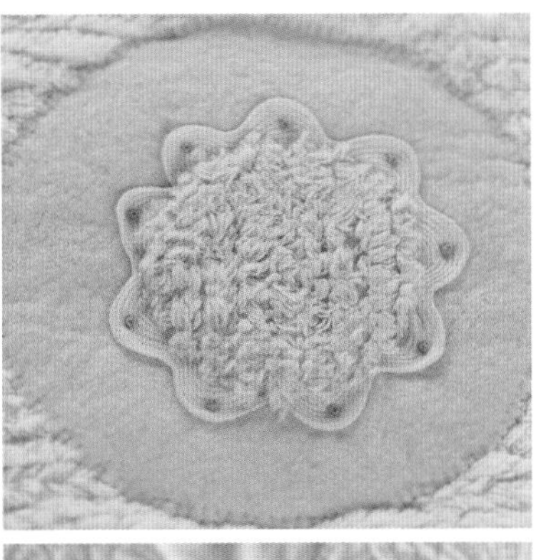
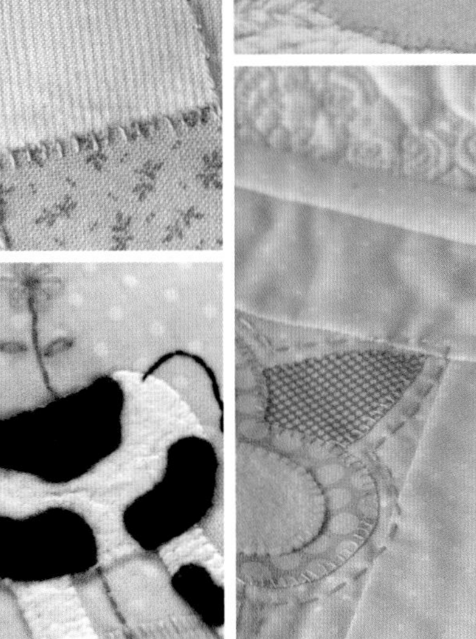

Como seguro que se reúnen muchas fotografías del bebé, en el libro hay regalos para conservar esos recuerdos y fotos bien presentados. También se ha pensado en los abuelos, con una bolsa para guardar todo lo necesario para una primera visita del bebé. Los proyectos diseñados para aprender y jugar incluyen una cómoda alfombra, unos bloques de construcción y un libro para iniciarse en el aprendizaje.

Este libro está pensado para el bebé, pero también se ofrecen consejos sobre puntos de bordado, técnicas sobre aplicaciones de tela y de fieltro, y sugerencias sobre la utilización de tejidos con textura. El libro supone una gran ayuda para coser y ampliar conocimientos, al tiempo que se crean magníficos regalos para el recién nacido.

Nada hay más emocionante que el milagro de la vida, y espero que estos proyectos sean un motivo más de alegría.

Bienvenido bebé

Los proyectos de este capítulo son perfectos para celebrar la inminente llegada de un nuevo bebé a la familia; en muy poco tiempo se pueden hacer preciosos regalos para la madre y para el recién nacido. Un regalo rápido y fácil para una futura mamá puede ser una serie de fundas para biberones, quizá rellenas de golosinas para ella, y un par de adorables botitas muy blandas, especiales para bebé, que se confeccionan en un momento. Una cadeneta de guirnalda sobre un galón con madroños es una decoración estupenda para la habitación del pequeño y se puede hacer con aplicaciones de estrellas y de caballitos de balancín para un niño, y de flores y corazones para una niña.

El esquema de color de este capítulo es un amarillo limón fresco y agradable, que armoniza bien con otros muchos colores. Telas de cuadros, de lunares y con motivos infantiles, combinan con aplicaciones pegadas con fliselina termoadhesiva en una serie de motivos alegres recortados de fieltro de lana.

Proyecto de 3 horas

Fundas para biberón

Estas fundas son fáciles de hacer y resultan un estupendo regalo para una presentación de bebé. Aquí se describen dos tamaños, pero pueden hacerse en el que se desee.

Se necesita

- Tela estampada en amarillo, ¼ de yarda (25 cm)
- Tela para las aplicaciones (corazones o estrellas), 6" x 6" (15,2 x 15,2 cm)
- Fieltro de lana para las aplicaciones (rosa o amarillo), 5" x 5" (12,7 x 12,7 cm)
- Entretela, 4" x 9" (10,2 x 23 cm)
- Cinta de piquillo, ⅝" x ¾ de yarda (1,6 cm x 75 cm)
- Goma elástica, ⅜" x 15" (1 x 38,1 cm)
- Hilo de bordar mouliné a tono con las telas o fieltro de las aplicaciones
- Fliselina termoadhesiva

Para el tamaño grande:
- «Freezer paper»

Para el tamaño pequeño:
- Hilo de bordar mouliné de algodón DMC: para las flores 152 rosa, 470 verde, 3821 amarillo; para las estrellas: 813 azul, 3821 amarillo, 3752 azul claro y blanco

Tamaño terminado:
Grande: 4" x 7" (10,2 x 17,8 cm)
Pequeño: 2¾" x 6½" (7 x 16,5 cm)

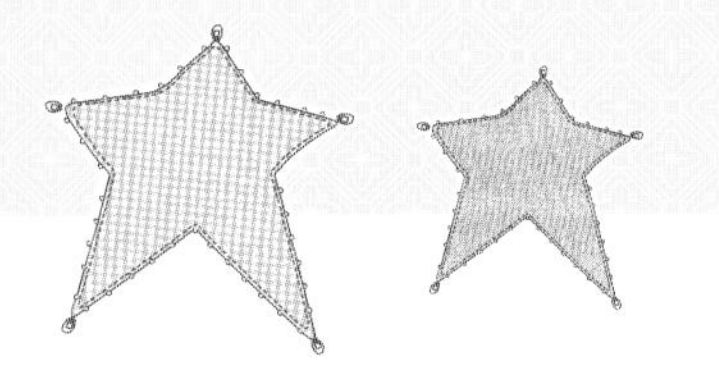

Instrucciones

1 Cortar la funda pequeña de 4½" x 8" (11,4 x 20,3 cm). Cortar la funda grande de 7" x 8" (17,8 x 20,3 cm). Para ambos tamaños, doblar hacia el revés ¼" (6 mm) por el borde largo para hacer un dobladillo. Para la funda grande, doblar de nuevo 1⅝" (4,1 cm) a ambos lados para que la pieza quede de 3¼" x 8" (8,2 x 20,3 cm). Para la funda pequeña, doblar de nuevo 1" (2,5 cm) a ambos lados, para que la pieza quede de 2" x 8" (5 x 20,3 cm). Sobre el revés de las dos piezas, grande y pequeña, pegar la fliselina termoadhesiva, procurando centrarla bien.

2 Con las plantillas adecuadas de la sección Plantillas, añadir la aplicación de las fundas grandes dibujando las estrellas o los corazones en fliselina termoadhesiva. Planchar sobre el revés de las telas y recortar. Dibujar las estrellas o los corazones pequeños sobre «Freezer paper». Plancharlo sobre fieltro y recortar. Pegar estos motivos en su sitio. Con una hebra de hilo de bordar a tono, coser los bordes a punto por encima. En las estrellas, hacer un punto de nudo con hilo azul en el centro. Al coser mantener siempre los forros abiertos.

3 Hacer los bordados de las fundas pequeñas como se ve en las fotografías de la derecha.

4 Para hacer una funda, marcar las líneas de pasacintas por el derecho, en los dos tamaños, a lo largo de las 8" (20,3 cm) y a 5/8" (1,6 cm) de los dos bordes. Para coserlos, abrir todos los dobleces. Poniendo derecho con derecho, coser los lados largos dejando unas aberturas como se indica en la fig. 1. Planchar las costuras abiertas.

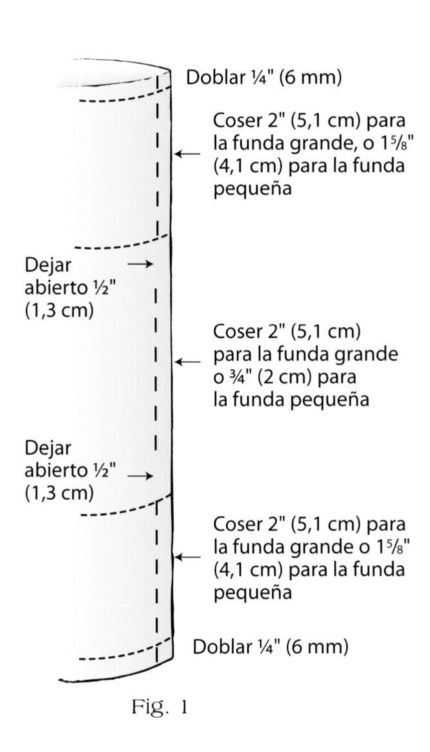

Fig. 1

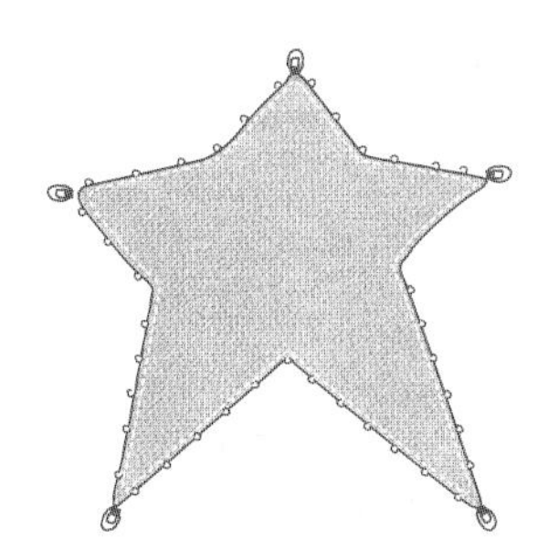

Bordado

- Bordar los pétalos de la flor en la funda pequeña a punto de margarita y con dos hebras de hilo de algodón rosa. Con hilo verde y punto de margarita, bordar las hojas. Añadir un punto de nudo amarillo en el centro de las flores (1).
- Bordar las estrellas a punto atrás con dos hebras de hilo azul y añadir un punto de nudo en el centro. Añadir más puntos de nudo en amarillo, blanco y azul claro alrededor de las estrellas (2).

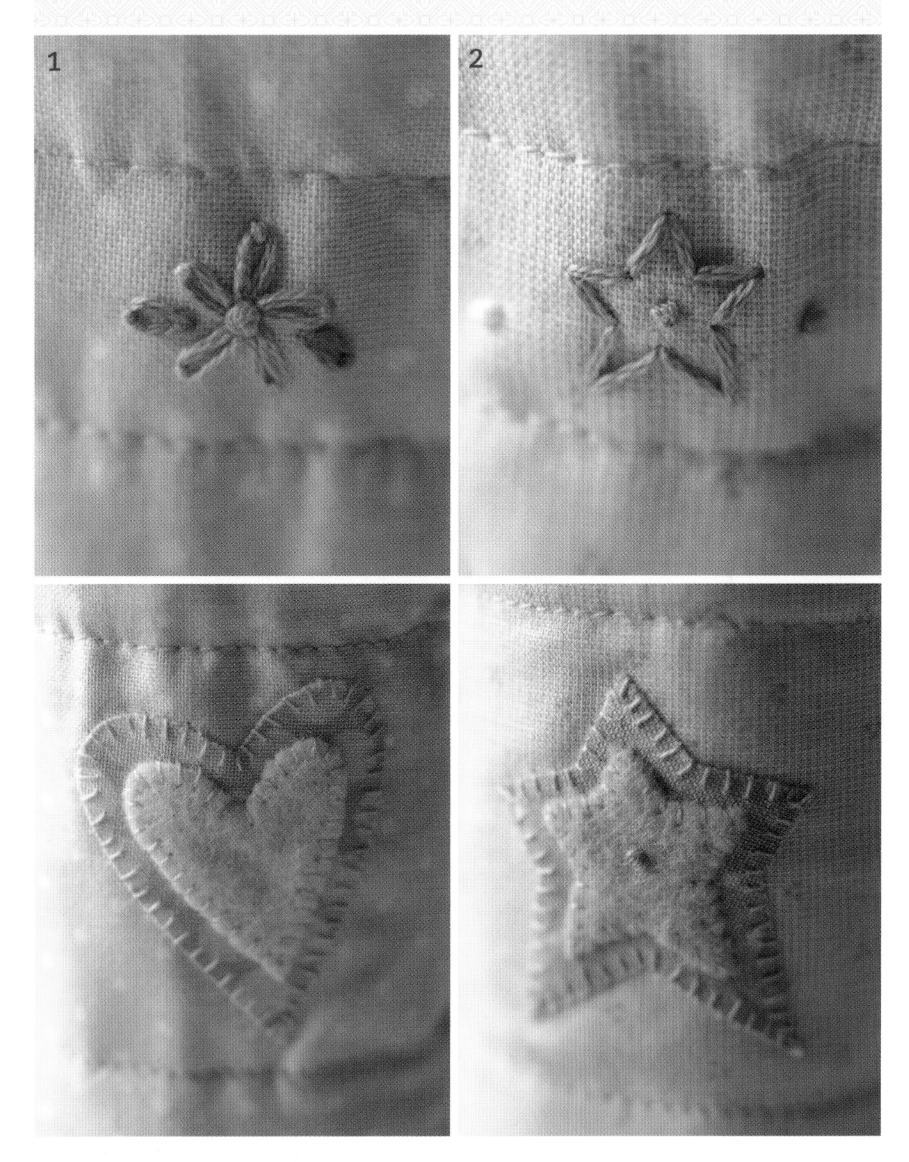

5 Volver hacia dentro los dobleces y cerrar a punto por encima, cubriendo las aplicaciones y los bordados. Hacer un pespunte sobre las líneas de pasacintas marcadas. Cortar dos tiras de cinta de piquillo de 8" (20,3 cm) cada una e hilvanarlas (pegarlas) arriba y abajo. Coserlas a pespunte a 1/16" (1,5 mm) del borde. Retirar el hilván.

6 Cortar un trozo de goma elástica de 6½" (16,5 cm) de largo y pasarlo por la abertura de la costura, montar los bordes y coserlos a punto por encima. Pasar la goma por el pasacintas y coser la abertura a punto por encima. Para terminar, borrar las líneas marcadas.

» **CONSEJO**

Prender un imperdible en un extremo de la goma para pasarla por el pasacintas. Cuando asome por el otro lado, quitar el imperdible.

Proyecto de 2 días

Botas calentitas

Estas graciosas botitas son tan fáciles de hacer que se querrán confeccionar para todos los recién nacidos que se conozcan. Un forro ultrasuave las hace también muy cómodas.

Se necesita

- Tela estampada en amarillo, 1/4 de yarda (12,5 cm)
- Borreguito o duvetina para el forro, 1/8 de yarda (12,5 cm)
- Tela rosa o azul para las aplicaciones, (flores o estrellas) 4" x 4" (10,2 x 10,2 cm)
- Fieltro de lana amarillo para las aplicaciones, 3" x 3" (7,6 x 7,6 cm)
- Entretela termoadhesiva, ½ yarda (50 cm)
- Fliselina termoadhesiva y «Freezer paper»
- Cinta, 1/8" (3 mm) x 12" (30,5 cm)
- Hilo de bordar mouliné de algodón a tono con las telas o fieltros de las aplicaciones

Para las botitas de niña:

- Tela verde para las aplicaciones de las hojas, 3" x 3" (7,6 x 7,6 cm)
- Hilo de bordar mouliné DMC para las flores, 152 rosa, 470 verde, 3821 amarillo claro y 3852 amarillo y blanco

Para las botitas de niño:

- Hilo de bordar mouliné DMC, 813 azul, 3852 amarillo y blanco

Tamaño terminado:
Desde recién nacido hasta 1 mes

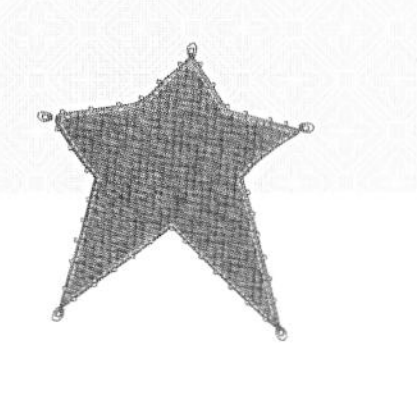

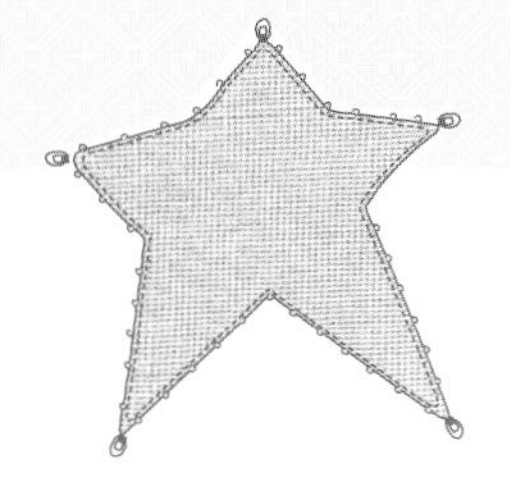

Instrucciones

1 Ver las plantillas correspondientes en la sección Plantillas al final del libro. Dibujar las que se correspondan a la suela, el talón y el empeine en el lado de papel del «Freezer paper». El margen de costura de ¼" (6 mm) está incluido en las plantillas. Recortar las figuras.

2 Pegar en el dorso del borreguito una entretela termoadhesiva para que la tela no ceda. Planchar las plantillas con el lado brillante del «Freezer paper» sobre la tela y el borreguito y dibujar las figuras. Recortar dos suelas, una izquierda y una derecha. Cortar dos piezas del talón y dos del empeine. Dibujar las líneas del bordado en la tela de las piezas del talón y del empeine.

3 Las aplicaciones de las piezas del empeine se trabajan de este modo: dibujar las estrellas o flores grandes sobre fliselina termoadhesiva. Pegarlas sobre el revés de las telas y recortarlas. Dibujar las estrellas y las flores pequeñas sobre «Freezer paper». Plancharlas sobre fieltro amarillo y recortarlas. Dibujar las hojas sobre gasilla termoadhesiva. Pegarlas sobre el revés de la tela verde y recortar seis hojas. Pegar las flores en su sitio con tres hojas remetidas por debajo. Pegar las estrellas en el lugar que les corresponda. Prender o pegar las estrellas o flores de fieltro en su sitio. Coserlas a punto por encima con una hebra de hilo de bordar a tono.

4 Hacer los bordados que correspondan en las piezas del talón y del empeine como se describe en el recuadro de la derecha.

Bordado

- Bordar la pieza del empeine con dos hebras de hilo de algodón amarillo, haciendo una bastilla en forma redondeada. Con hilo de algodón rosa, hacer un punto de nudo en el centro de cada flor. Con hilo de algodón azul, hacer un punto de nudo en el centro de cada estrella (1).
- Hacer casi todo el bordado de la pieza del talón. Para las botitas de niña, utilizar dos hebras de hilo y bordar los pétalos en rosa a punto de margarita y las hojas en verde, haciendo un punto de nudo amarillo claro en el centro de cada flor. Para las botitas de niño, utilizar dos hebras de hilo y hacer las estrellas en azul a punto raso (2).
- Para los dos modelos de botitas, hacer unos puntos de nudo con tres hebras de hilo blanco entre las flores o las estrellas. No hacer todavía la bastilla.

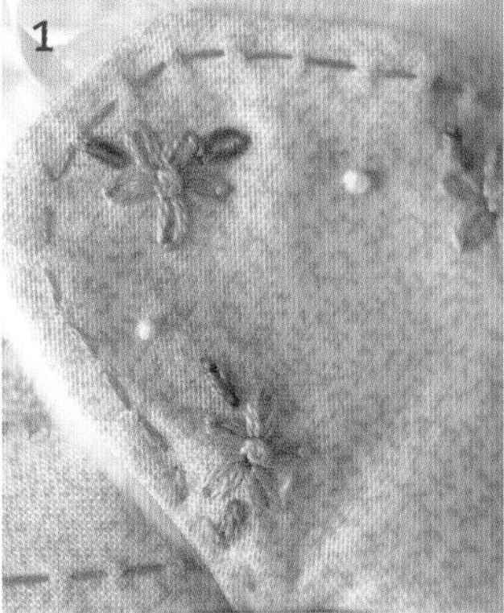
1

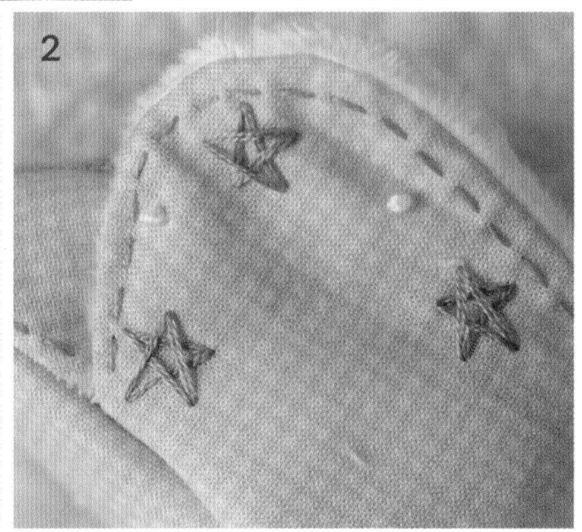
2

5 Prender o hilvanar la cinta sobre la tela en la pieza del talón, donde indica la plantilla. Poner 3/8" (1 cm) de cinta sobre la tela para que quede más fuerte. Coser derecho con derecho las piezas del empeine y del talón, poniendo una pieza de tela y una de borreguito, siguiendo las líneas discontinuas de costura. Recortar las costuras, pero no la cinta. Dar cortes en las esquinas, volver del derecho y planchar, comprobando que los cantos quedan igualados y recortándolos si fuera necesario.

6 Cortar una pieza de fliselina termoadhesiva de 1½" x 2" (3,8 x 5,1 cm), pegar la suela de tela sobre la de borreguito para mantenerlas unidas antes de coser.

7 Poniendo derecho con derecho (tela con tela) y empezando en el talón, casar los extremos del talón con las líneas indicadas a cada lado de la pieza de la suela. Prender en los extremos y en el centro del talón. Empezando por los extremos del talón, hacer una costura a ¼" (6 mm) de un extremo a otro, alrededor del talón de la suela (ver fig. 1). Como los extremos son muy pequeños, hay que ir embebiendo las arrugas al acercarse a ellos. No volver.

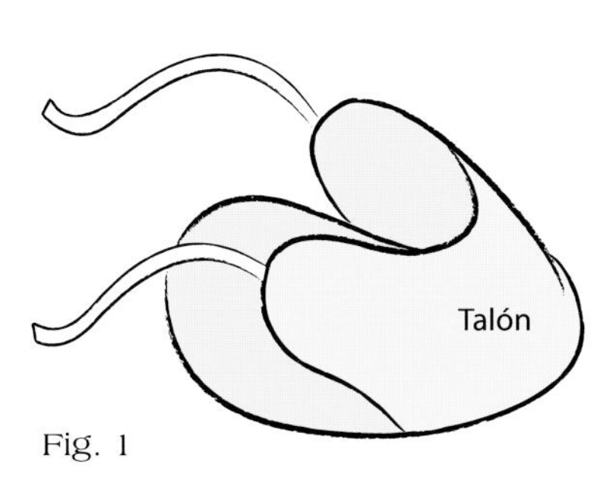

Fig. 1

8 Después, poniendo derecho con derecho, solapar ligeramente la pieza del empeine sobre la pieza del talón que se acaba de coser. Prender en los extremos y en el centro. Hacer una costura de ¼" (6 mm), sin pillar las cintas en la costura (fig. 2). Recortar los cantos y volver del derecho. Empujar hacia fuera la pieza de la suela y planchar las costuras.

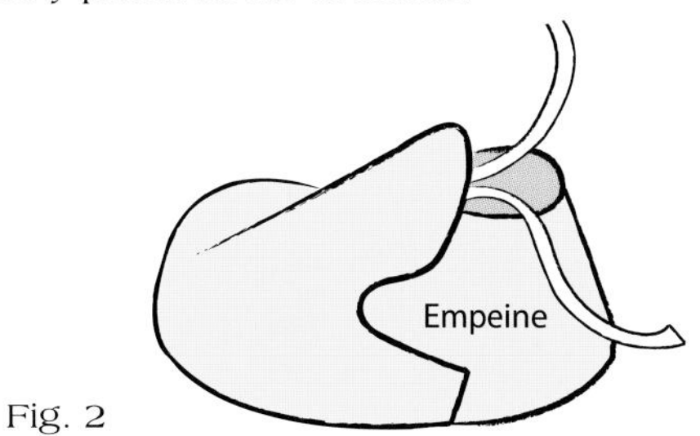

Fig. 2

9 Prender la pieza del talón con la del empeine donde se solapan. Con dos hebras de hilo de bordar amarillo, hacer una bastilla atravesando las dos capas con las cuatro primeras puntadas, para mantener las piezas unidas. Seguir haciendo la bastilla por detrás entre las capas, escondiendo las puntadas. Dar las cuatro últimas puntadas de nuevo atravesando todas las capas. Rematar el hilo. Atar la cinta para terminar. Repetir los pasos 7 a 9 para montar la otra botita.

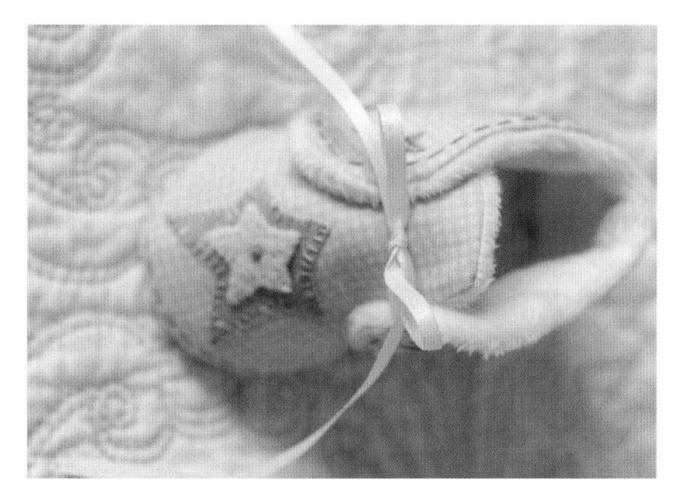

Proyecto de 5 a 7 días

Guirnalda de bienvenida

Esta guirnalda es un bonito adorno para el dormitorio infantil. Lleva siete banderolas, aunque se pueden hacer más. En el modelo se utilizó un galón de madroños para unir las banderolas, pero una cinta también queda muy decorativa.

Se necesita

- Tres telas amarillas estampadas, 3/8 de yarda (30 cm) de cada
- Telas en rosa o azul para las aplicaciones (corazones, flores o estrellas), 6" x 6" (15,2 x 15,2 cm)
- Tres fieltros de lana amarilla para las aplicaciones, 5" x 5" (12,7 x 12,7 cm) de cada
- Entretela termoadhesiva, 1 yarda (1 m)
- Fliselina termoadhesiva y «Freezer paper»
- Cinta de piquillo, 7/8" x 4½ yardas (2,1 cm x 4,25 m)
- Cinta para los colgaderos, 1/8" x 1 yarda (3 mm x 1 m)
- Galón de madroños o cinta, 4 yardas (3,75 m)
- Hilo de bordar mouliné DMC en 3852 amarillo y blanco, más colores a tono con las aplicaciones

Para la guirnalda de niño:

- Fieltro de lana tostado para la aplicación del caballito, 10" x 10" (25,4 x 25,4 cm)
- Fieltro de lana tostado oscuro para la aplicación del caballito, 8" x 8" (20,3 x 20,3 cm)
- Hilo de bordar mouliné DMC 310 negro, 813 azul y 3821 amarillo claro

Para la guirnalda de niña:

- Tres telas verdes para las aplicaciones de las hojas, 6" x 6" (15,2 x 15,2 cm) de cada
- Hilo de bordar mouliné DMC para las flores, 152 rosa, 470 verde y 3821 amarillo claro

Tamaño terminado:
Un triángulo mide 7½" (19 cm) de alto x 7" (17,8 cm) de ancho

Instrucciones

1 Ver las plantillas correspondientes en la sección de Plantillas al final del libro. De tres telas amarillas, cortar catorce figuras triangulares para las banderolas, siguiendo la línea de corte de la plantilla. Reservar siete para el dorso. Cortar entretela para siete figuras siguiendo la línea de corte (continua). Plancharla sobre el revés de cada figura de tela. Dibujar las líneas de bordado en la banderola.

2 Coser las aplicaciones en las banderolas de este modo: dibujar las estrellas, flores y corazones grandes en fliselina termoadhesiva. Plancharlas sobre el dorso de las telas y recortarlas. Dibujar tres hojas para cada flor en el dorso de la fliselina y recortarlas. Dibujar las estrellas, flores y corazones pequeños en «Freezer paper». Planchar sobre fieltro y recortar. Dibujar los lunares sobre fliselina termoadhesiva y plancharlos en el revés de las telas. Recortarlos.

3 Prender o pegar las estrellas o corazones de tela en su sitio. Prender o pegar encima las estrellas o corazones de fieltro. Planchar las flores en su lugar, poniendo tres hojitas por debajo de cada una. Pegar o prender el centro de las flores en su sitio. Pegar un lunar en el centro de cada motivo. Coserlos a punto por encima con una hebra de hilo de bordar a tono.

4 La aplicación del caballito balancín se hace de este modo: con las plantillas, dibujar el caballito, el balancín, la cola y las crines sobre «Freezer paper». Planchar la figura del caballo sobre fieltro tostado y recortar tres figuras. Planchar los demás motivos en fieltro tostado oscuro y cortar tres de cada. Pegar o prender el caballito en la banderola, observando dónde se solapan las piezas. Dibujar tres sillas de montar en fliselina termoadhesiva. Plancharlas en el dorso de la tela estampada azul y recortarlas. Pegarlas con la plancha sobre los caballos. Hacer un punto por encima alrededor con una hebra de hilo de bordar a tono.

5 Hacer el bordado de los bordes de los triángulos de banderola como se describe en el recuadro.

6 Hilvanar el piquillo alrededor de la banderola, por el revés. Los extremos quedan en disminución donde se unen. No estirar el piquillo porque la pieza quedaría arrugada y no caería bien al colgarla. Cortar dos tiras de 3" (7,6 cm) de cinta estrecha para hacer las bandas de colgar de cada banderola. Doblar la cinta por la mitad, ponerla en la parte de arriba con una separación de 3" (7,6 cm) entre una y otra, y prenderla o pegarla en su sitio.

7 Prender la pieza del dorso de las banderolas derecho con derecho con cada triángulo frontal. Hacer una costura alrededor dejando una abertura en un borde recto para volver del derecho. Recortar las costuras y volver del derecho; coser la abertura a punto de dobladillo. Para terminar, utilizar un galón de madroños o una cinta decorativa para colgar la guirnalda.

Bordado

- Con dos hebras de hilo de bordar amarillo, hacer una bastilla en forma de ondas todo alrededor. Con tres hebras de hilo blanco hacer puntos de nudo en los extremos de las ondas (1).
- En la guirnalda de niña, bordar unas flores con dos hebras de hilo rosa, haciendo los pétalos a punto de margarita y poniendo un punto de nudo amarillo claro en el centro. Con hilo verde, bordar las hojas a punto de margarita (1).
- En la guirnalda de niño, bordar estrellas a punto raso con dos hebras de hilo azul. He omitido las flores o las estrellas bordadas donde la aplicación llega a las ondas (2).
- Para la guirnalda de niño, hacer los bordados en el caballito a punto atrás con tres hebras de hilo amarillo claro para las riendas, una estrella amarilla a punto raso en la silla, un punto de nudo negro para el ojo y unos puntos de nudo azules en el balancín y en las riendas (3).

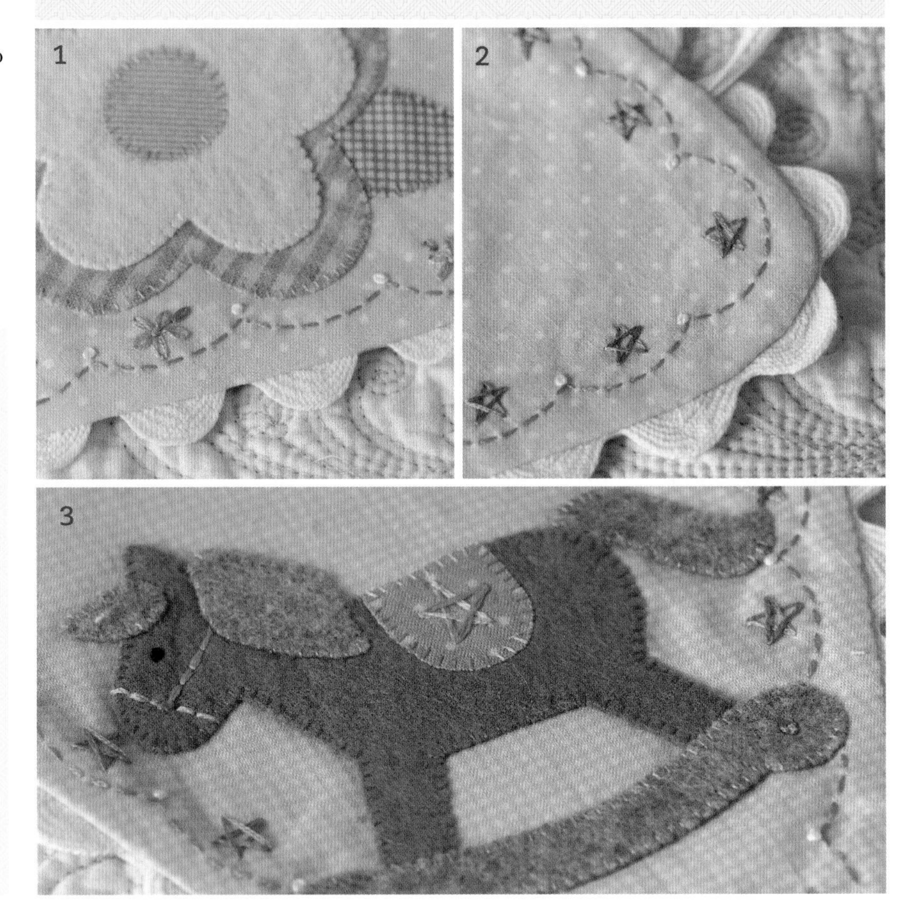

Para el recién nacido

Cuando el bebé llega a casa ya hay muchas maravillas esperándole. En este capítulo se presentan unos proyectos tan prácticos como bonitos para cuidar del pequeño. Una almohadita para colgarla de la puerta del dormitorio, con un sol aplicado en una cara y una luna en la otra para indicar a la familia que el bebé está o no durmiendo. Una bolsa para colgar del brazo de un sillón, con distintos bolsillos en los que guardar algunos artículos necesarios para el bebé, será muy bien recibida por la nueva mamá. El moisés es una buena solución para tener al bebé muy cerca en las primeras semanas, y vestirlo con un forro y una manta ligera es una forma magnífica de personalizar este capazo.

Los colores utilizados en este capítulo son delicados tonos verde pistacho, perfectos para dar una sensación cálida y tranquila en el dormitorio del bebé. En estos proyectos hay motivos de aplicación muy bonitos, realizados en colores suaves de fieltro de lana, como corazones, estrellas y cigüeñas, además de pequeñas flores bordadas a tono.

Colgante de puerta Sol y Luna

Este encantador colgante de puerta es perfecto para recordar a la familia que el bebé está o no dormido, basta con darle la vuelta y que quede visible cara del Sol o la de la Luna. El remate es una graciosa cinta de piquillo.

Se necesita

- Tela verde claro estampada, 6" x 12" (15,2 x 30,5 cm)
- Fieltro de lana amarillo claro para el centro del Sol y de la Luna, 6" x 4" (15,2 x 10,2 cm)
- Fieltro de lana amarillo para el Sol, 3" x 3" (7,6 x 7,6 cm)
- Fieltro de lana azul claro para las estrellas, 3" x 3" (7,6 x 7,6 cm)
- «Freezer paper»
- Guata fina para quilt, 6" x 12" (15,2 x 30,5 cm)
- Cinta blanca de ½" de ancho, (1,3 cm) x 24" (61 cm)
- Cinta de piquillo verde claro de ⅞" (2,2 cm) de ancho x 24" (61 cm)
- Relleno para muñecos
- Hilo de bordar mouliné DMC, 581 verde, 3821 amarillo, 3761 azul y blanco, más colores a tono con el fieltro

Tamaño terminado:
5" x 5" (12,7 x 12,7 cm)

» Instrucciones

1 Para el fondo, cortar dos piezas de tela verde de 5½" x 5½" (14 x 14 cm) cada una. Ver en la sección Plantillas al final del libro las que correspondan. Dibujar las líneas de bordado en las piezas de fondo. Poner en el revés de las dos piezas una pieza de guata de igual tamaño.

2 Hacer las aplicaciones dibujando la Luna, la estrella, y el exterior y el interior del Sol, sobre el lado de papel del «Freezer paper». Planchar el lado brillante del «Freezer paper» sobre el color de fieltro que corresponda. Recortar las figuras y pegarlas o prenderlas en su sitio. Coser a punto por encima las aplicaciones de fieltro con una hebra de hilo de bordar a tono.

3 Hacer los bordados del proyecto como se indica en el recuadro siguiente.

>> Bordado

- Hacer una bastilla con dos hebras de hilo de bordar verde por el borde exterior de las dos piezas. Bordar unos puntos de nudo salteados con tres hebras de hilo blanco (1).
- Con dos hebras de hilo amarillo, hacer una bastilla por dentro de la Luna. Con tres hebras de hilo azul, hacer puntos de nudo en las puntas de las estrellas (2).
- Con dos hebras de hilo amarillo, hacer una bastilla alrededor del centro del Sol. Con tres hebras de hilo amarillo, hacer puntos de nudo en las puntas de los rayos del Sol (3).

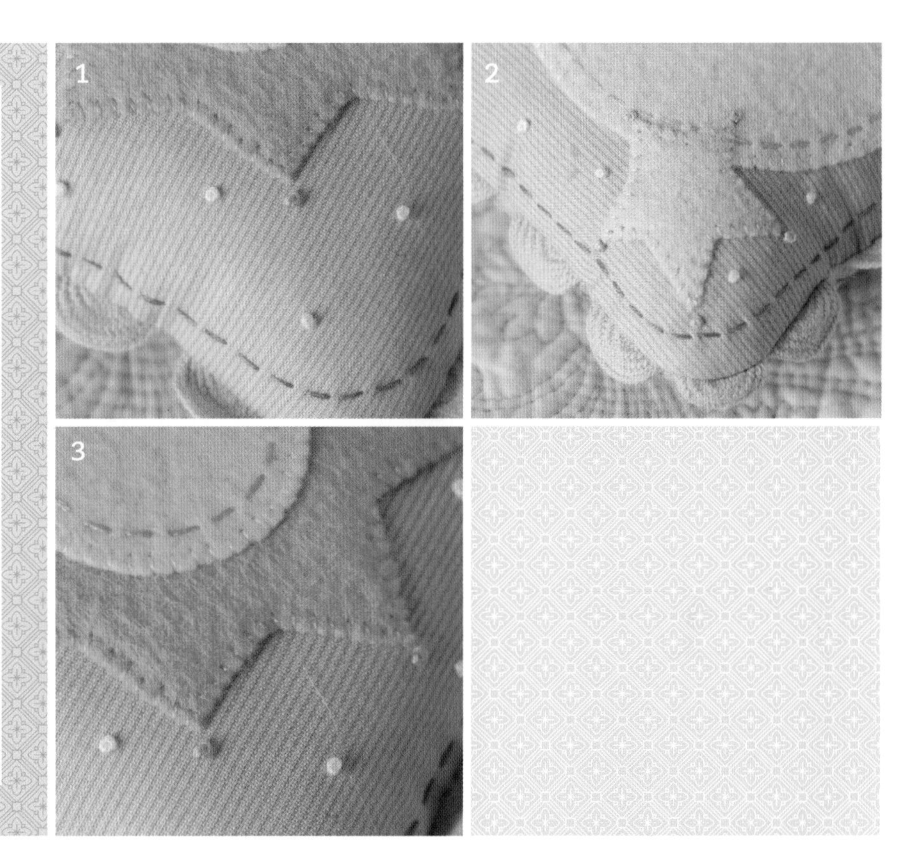

4 Siguiendo la plantilla, cortar las esquinas de las telas de fondo en redondo (la línea de corte se indica con un trazado discontinuo, y la de costura con un trazado continuo). Hilvanar el piquillo en el borde de la tela de fondo. Cortar dos tiras de cinta de 12" (30,5 cm) cada una y prenderlas en su sitio por el lado del piquillo.

5 Poner derecho con derecho las dos piezas de fondo. Hacer una costura alrededor, con las cintas por dentro, y dejar una abertura para volver del derecho. Recortar los bordes, pero no la cinta, que podría deshilarse y soltarse. Volver del derecho, planchar y rellenar. Para terminar, coser la abertura a punto de dobladillo.

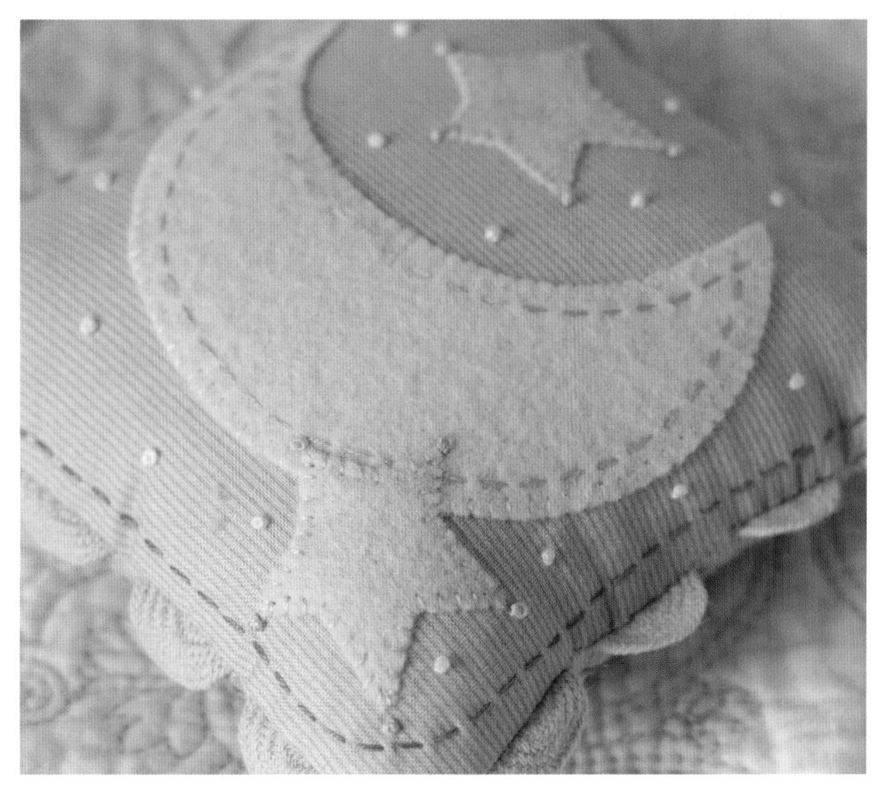

Bolsa para el sillón

Unos corazones aplicados y unas flores bordadas adornan esta práctica bolsa. Tiene cuatro bolsillos de diferentes tamaños para guardar en ellos los artículos que necesita el bebé. El bolsillo B tiene el tamaño perfecto para un biberón.

Se necesita

- Tela color crudo estampada para el top, ½ yarda (50 cm)
- Tela verde claro estampada para el centro de los bolsillos, ⅓ de yarda (30 cm)
- Tela verde que haga contraste para el borde de los bolsillos y la aplicación del corazón, ½ yarda (50 cm)
- Tela verde que haga contraste para el borde plisado, ⅓ de yarda (30 cm)
- Tela verde para la trasera, ½ yarda (50 cm)
- Fieltro de lana rosa para las aplicaciones de corazón, 12" x 12" (30,5 x 30,5 cm)
- Fliselina termoadhesiva y «Freezer paper»
- Entretela termoadhesiva de grosor mediano, ¾ de yarda (75 cm)
- Guata fina para quilts, 17" x 25" (43,2 x 63,5 cm)
- Hilo de bordar mouliné DMC, 581 verde, 3821 amarillo, 224 rosa, 3861 lavanda y crudo, más colores a tono con las aplicaciones de fieltro y de tela
- Jaboncillo, lápiz o rotulador no permanente

Tamaño terminado:
24" x 16" (61 x 40,6 cm)

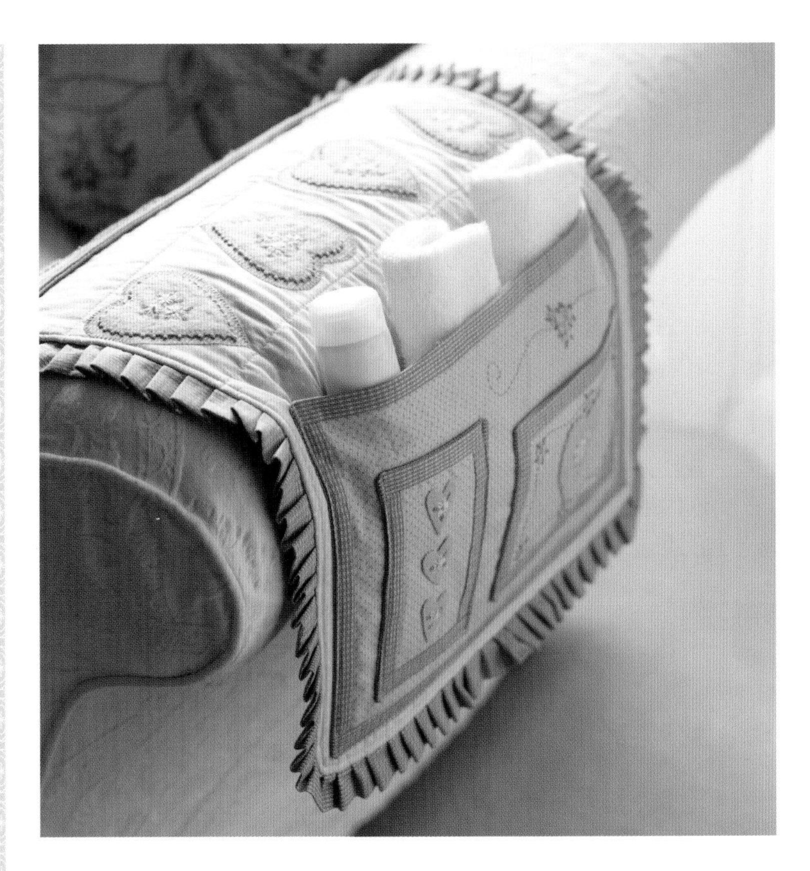

» Instrucciones

1 Ver las plantillas que correspondan en la sección Plantillas al final del libro. La disposición de las piezas de la bolsa se puede ver en la fig. 1, página siguiente. Cortar un top de tela crudo de 15½" x 23½" (39,4 x 60 cm). Con la plantilla, redondear las esquinas. Marcar los puntos centrales de cada lado. Poner detrás de esta tela la guata fina para quilts. Reservar.

2 Hacer los bolsillos: de tela estampada verde claro, cortar el centro del bolsillo A de 13½" x 8" (34,3 x 20,3 cm). Cortar el centro del bolsillo B de 3" x 5¼" (7,6 x 13,3 cm). Cortar el centro del bolsillo C de 6½" x 4¼" (16,5 x 10,8 cm). Cortar el centro del bolsillo D de 13½" x 5¾" (34,3 x 14,6 cm).

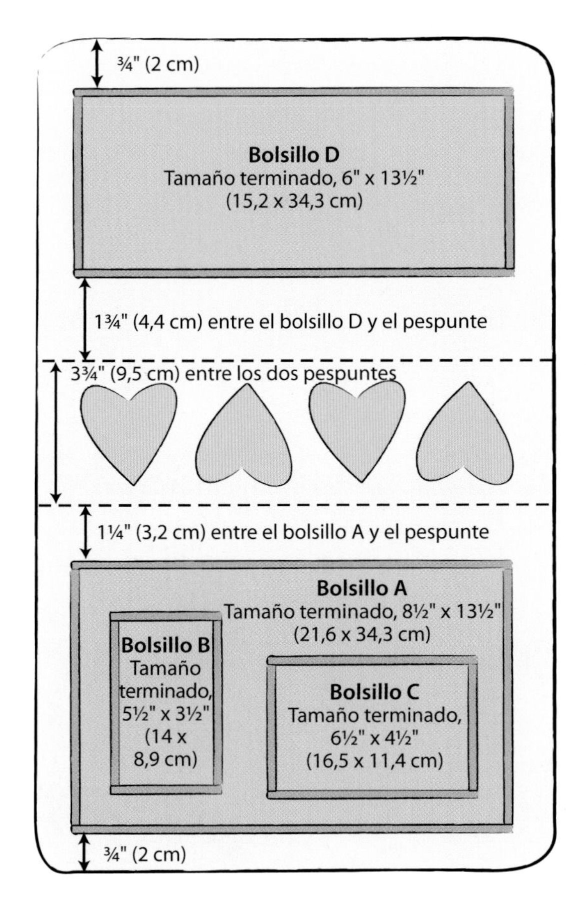

Fig. 1

3 Cortar y coser los bordes de todos los bolsillos con una tela verde que haga contraste. Cortar las siguientes piezas de tela:

Bolsillo A: dos tiras para los laterales de 1" x 8" (2,5 x 20,3 cm) cada una y dos tiras para arriba y abajo de 1" x 14½" (2,5 x 36,8 cm) cada una.

Bolsillo B: dos tiras para los laterales de 1" x 5¼" (2,5 x 13,3 cm) cada una y dos tiras para arriba y abajo de 1" x 4" (2,5 x 10,2 cm).

Bolsillo C: dos tiras para los laterales de 1" x 4¼" (2,5 x 10,8 cm) cada una y dos tiras para arriba y abajo de 1" x 7½" (2,5 x 19 cm).

Bolsillo D: dos tiras para los laterales de 1" x 5¾" (2,5 x 14,6 cm) cada una y dos tiras para arriba y abajo de 1" x 14½" (2,5 x 36,8 cm).

Coser los laterales con un margen de costura de ¼" (6 mm) y planchar la costura abierta. Coser los bordes de arriba y abajo y planchar la costura abierta.

4 Dibujar el motivo bordado en cada bolsillo. Poner por detrás de los bolsillos una entretela termoadhesiva y cortarla ¼" (6 mm) más pequeña que el bolsillo terminado; pegarla dejando alrededor un borde libre de ¼" (6 mm) para las costuras.

5 Para la aplicación de tela, dibujar sobre fliselina termoadhesiva cuatro corazones grandes para el dibujo del centro. Planchar la fliselina sobre el revés de la tela verde claro. Recortar las figuras por la línea dibujada. Pegarlas en su sitio como se indica en la plantilla. Hacer un punto por encima alrededor de las aplicaciones de tela con una hebra de hilo de bordar a tono.

6 Para la aplicación de fieltro, dibujar tres corazones medianos y uno pequeño en el lado de papel del «Freezer paper». Planchar el lado brillante sobre el fieltro rosa. Recortar los corazones. Con esa plantilla de «Freezer paper», cortar ocho corazones medianos y tres pequeños. Pegarlos en su sitio y luego coserlos a punto por encima con una hebra de hilo de bordar a tono. Dibujar los motivos de bordado en los corazones de fieltro. Con jaboncillo, lápiz o rotulador no permanente, hacer un punto donde deba bordarse cada flor.

7 Hacer los bordados del proyecto como se indica en el recuadro de más abajo.

8 Cortar una trasera para cada bolsillo de tela verde. Poner las telas derecho con derecho y hacer una costura alrededor, dejando una abertura para volver del derecho. Volver del derecho, planchar y coser la abertura a mano.

9 Prender los bolsillos B y C (ver fig. 1). Coser los laterales y la parte de abajo, dejando libre la de arriba, con un pespunte a máquina. Prender el conjunto terminado de bolsillos ABC y el bolsillo D en su sitio sobre el top. Coserlos, atravesando todas las capas, con un pespunte a máquina por los laterales y la parte de abajo, dejando la de arriba abierta.

» Bordado

- Con hilo de bordar rosa, hacer cinco puntos de margarita de ¼" (6 mm) de largo partiendo del punto marcado. Hacer cada punto ligeramente distinto para darles más personalidad. Bordar a punto de margarita y con hilo verde unas hojitas partiendo de cada flor y terminar con un punto de nudo amarillo en el centro (1).
- Con tres hebras de hilo de bordar crudo, hacer unos pétalos a punto de margarita para todas las flores del centro de los corazones. Hacer pétalos a punto de margarita para las flores del top de los bolsillos. Con tres hebras de hilo amarillo, hacer un punto de nudo en el centro de las flores. Con dos hebras de hilo verde, bordar las hojas a punto de margarita (2).
- Con dos hebras de hilo lavanda, hacer una bastilla recorriendo los bolsillos. Bordear los corazones medianos con puntos de nudo hechos con tres hebras de hilo rosa (2).

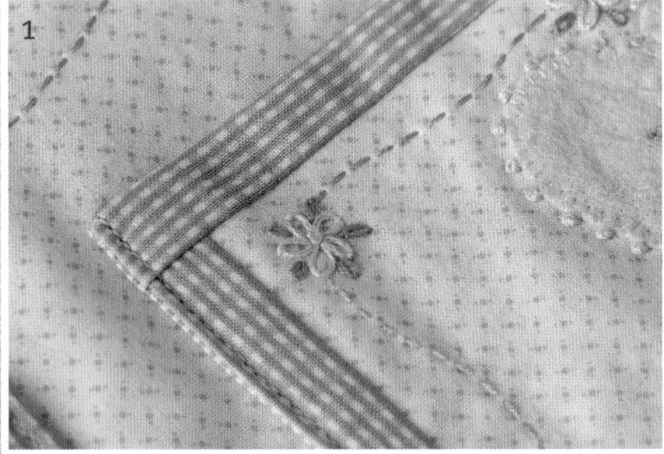
1

2

10 Para el borde plisado, cortar cuatro tiras de tela verde que haga contraste, de 2½" x 37" (6,3 x 94 cm) cada una. Coserlas derecho con derecho por los bordes de 2½" (6,3 cm), formando un aro grande, con cuidado de no retorcerlo. Planchar la tira resultante revés con revés doblada a lo largo, casando bien los cantos. Prender la tira en su sitio con el top de la bolsa, casando el canto del top con los cantos de la tira (con el borde doblado de la tira hacia los bolsillos). Hay aproximadamente 30" (76 cm) de tira de esquina a esquina en los lados cortos y 43" (109 cm) en los lados largos. Prender la tira en los centros marcados, a 15" (38,1 cm) de la esquina hasta el centro de los lados cortos y a 21½" (54,6 cm) de la esquina hasta el centro de los lados largos. Seguir prendiendo el centro de la tira con el centro entre alfileres. Hilvanar los pliegues en su sitio, haciendo plegados de ¼" (6 mm) aproximadamente cada ½" (1,3 cm).

11 Cortar una pieza de tela para la trasera de 17" x 25" (43,2 x 63,5 cm). Ponerla derecho con derecho con el frente de la bolsa y coser dejando una abertura en un borde recto para darle la vuelta. Volver del derecho y planchar. Coser a mano la abertura. Para terminar, hacer un pespunte a ¼" (6 mm) del borde por encima y por debajo de la zona central de cuatro corazones.

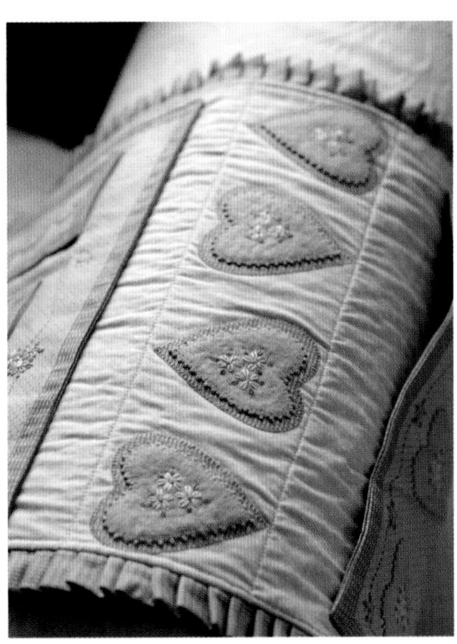

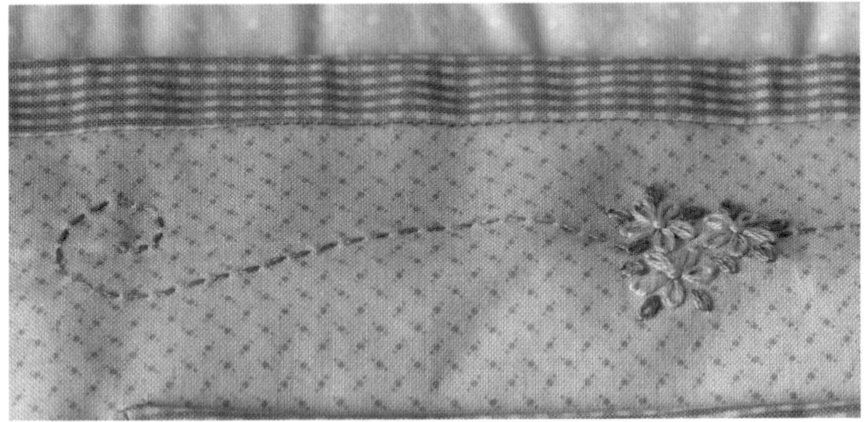

Cigüeñas en el moisés

Se necesita

Para forrar el cesto:

- Tela estampada verde claro, 1½ yardas (1,5 m)
- Tela verde claro que haga contraste, ¾ de yarda (75 cm)
- Fieltro de lana para las aplicaciones en blanco hueso, blanco, perla y amarillo, 8" x 8" (20,3 x 20,3 cm) de cada
- Fieltro de lana rosa para las aplicaciones de los corazones, 12" x 12" (30,5 x 30,5 cm)
- «Freezer paper»
- Guata fina para quilts, ¾ de yarda (75 cm)
- Cinta blanca de ¼" (6 mm) de ancho x 80" (203 cm)
- Hilo de bordar mouliné DMC, 581 verde, 3852 amarillo, 310 negro y blanco, más colores a tono con los del fieltro

Para la mantita:

- Tela verde claro para el top de la mantita, ¾ de yarda (75 cm)
- Franela verde claro para la trasera, ¾ de yarda (75 cm)
- Tela verde que haga contraste para el borde plisado, 1/3" de yarda (30 cm)
- Fieltro de lana para las aplicaciones en blanco hueso, blanco, rosa, melocotón y amarillo, 5" x 5" (12,7 x 12,7 cm) de cada
- Guata fina, 22" x 28" (56 x 71 cm)
- «Freezer paper»
- Hilo de bordar mouliné DMC, 581 verde, 3852 amarillo, 310 negro y blanco, más colores a tono con los del fieltro
- Espuma para el colchoncito (optativo)
- Tela para el colchoncito, 1 yarda (1 m) (optativo)

Tamaño terminado:

Forro: 10" x 27" (25,4 x 68,8 cm) con un doblez en redondo de 3" (7,6 cm)

Mantita: 22" x 28" (55,9 x 71,1 cm)

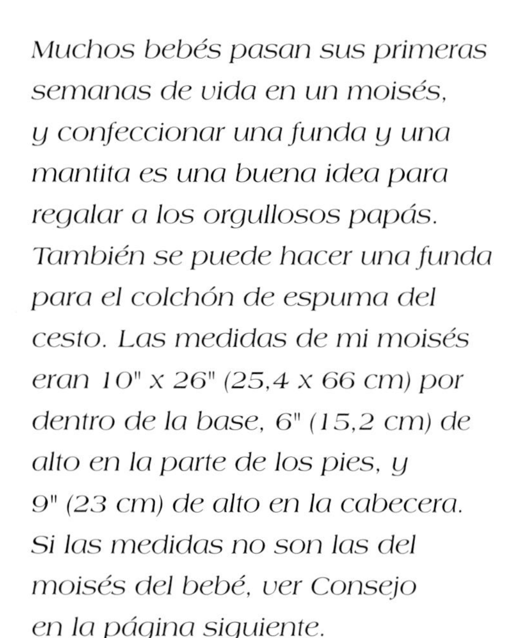

Muchos bebés pasan sus primeras semanas de vida en un moisés, y confeccionar una funda y una mantita es una buena idea para regalar a los orgullosos papás. También se puede hacer una funda para el colchón de espuma del cesto. Las medidas de mi moisés eran 10" x 26" (25,4 x 66 cm) por dentro de la base, 6" (15,2 cm) de alto en la parte de los pies, y 9" (23 cm) de alto en la cabecera. Si las medidas no son las del moisés del bebé, ver Consejo en la página siguiente.

Instrucciones para el forro

1 Ver las plantillas que correspondan en la sección Plantillas al final del libro. Las plantillas 1 y 2 se utilizan juntas para formar un cuarto de la figura de la base (ver fig. 1). Combinar las plantillas para cortar una pieza para la base de tela verde estampada, por la línea continua. Volver la plantilla combinada para obtener una base que mida 27" (69 cm) de largo y 10½" (26,7 cm) de ancho, con los extremos redondeados. Marcar los centros de la cabecera, los pies y la parte central. Reservar esta pieza de momento.

2 Cortar dos laterales de tela estampada y dos de tela contrastada, utilizando las medidas de la fig. 2. Poniendo derecho con derecho, coser los laterales estampados por los costados inclinados que miden 10" (25,4 cm) y 7" (17,8 cm) para formar un aro. Por el revés de los laterales contrastados poner guata para que quede un forro blando. Hilvanar la guata por el revés de los laterales de tela contrastada. Ahora, poner derecho con derecho los laterales de tela contrastada, pillando la guata en la costura para formar un nuevo aro. Reservar estas dos piezas de momento.

Fig. 1 Base del cesto

Fig. 2 Forro lateral en ángulo

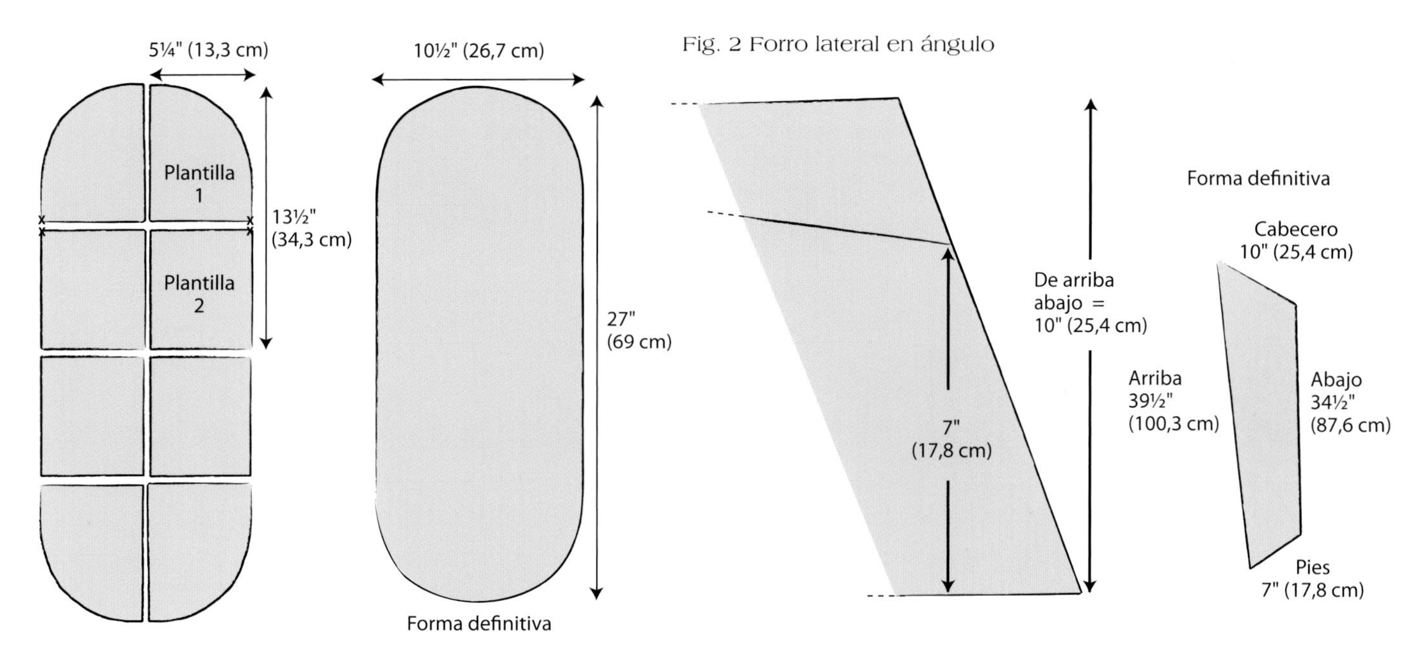

CONSEJO

Si las dimensiones del cesto son distintas a estas, se pueden ajustar del siguiente modo: utilizar la plantilla redondeada de la base para aumentar o reducir las medidas. Hacer la base más corta reduciendo en la línea central de la plantilla. Reducir el ancho en los bordes rectos. Restar o añadir en los laterales y la onda por incrementos de 3" (7,6 cm) para mantener la forma redondeada. Embeber la tela sobrante en la base y la onda haciendo pequeños pliegues repartidos por igual. El extremo de los pies o del cabecero se puede hacer más largo si hiciera falta. Se aumentaría o reduciría el largo de los lados y de la base. La tela extra se embebe en la base formando pliegues, como antes.

3 Para hacer los bordes a ondas, empezar por cortar cuatro piezas de 3½" x 9½" (8,9 x 24,1 cm) y cuatro de 3½" x 30½" (8,9 x 77,5 cm). Reservar dos de estas piezas para la trasera. Dibujar el borde a ondas (línea discontinua en la plantilla de la aplicación) sobre las piezas (ver Consejo más abajo). Hay tres ondas de un largo de 9½" (24,1 cm) y diez ondas de un largo de 30½" (77,5 cm). Dibujar el motivo bordado en las ondas. Poner guata por el revés de las piezas.

» CONSEJO

Para evitar muchas marcas, dibujar la plantilla de las ondas en «Freezer paper» por el lado del papel y recortar por la línea. Plancharlo sobre la tela marcando la línea de corte de las ondas. Retirar con cuidado el papel, desplazarlo ¼" (6 mm), volver a plancharlo y a marcar la línea de costura. Esta plantilla se utiliza tanto para marcar la línea de corte como la de costura y la de bordado a punto de bastilla.

Bordado

- Con dos hebras de hilo de bordar verde, hacer una bastilla siguiendo la línea de las ondas. Hacer puntos de nudo en las ondas con hilo blanco (1).
- Con hilo negro, hacer a punto de nudo los ojos del bebé y de la cigüeña. Con hilo amarillo, bordar las patas de la cigüeña a pespunte (2).
- En la mantita, utilizar tres hebras de hilo blanco para hacer un lazo a punto de margarita arriba del pico de la cigüeña (2).

4 Hacer la aplicación dibujando la cigüeña, la cabeza del bebé, la mantita y el corazón sobre el lado de papel de un «Freezer paper». Planchar por el lado brillante sobre el color de fieltro que corresponda y recortar las figuras. Cortar seis motivos de cigüeña con bebé y veinte corazones. Pegar o prenderlos en su sitio guiándose por las fotografías. Hay una cigüeña con bebé en la onda central de los lados cortos de ondas. En los lados largos, el esquema de corazones y cigüeñas es: dos corazones, un motivo de cigüeña, cuatro corazones, un motivo de cigüeña y dos corazones. Hacer un punto por encima rodeando las aplicaciones de fieltro con una hebra de hilo de bordar a tono.

5 Hacer el bordado como se indica en el recuadro de la izquierda. El forro y la mantita llevan bordados. Recortar luego el borde a ondas a ¼" (6 mm) de la línea continua (la línea discontinua de la plantilla).

6 Cortar seis tiras de cinta de 10" (25,4 cm) de largo. Prender cada cinta en el borde, a 1½" (3,8 cm) de los bordes rectos de los laterales y dejando ½" (1,3 cm) de cinta sobresaliendo de la costura para que quede fuerte. Poner derecho con derecho la trasera correspondiente sobre el borde a ondas recortado. Con cuidado de no pillar las cintas en la costura, coser los lados y el borde a ondas por la línea continua. Recortar la costura, pero no la cinta, que podría deshilarse y salirse. Dar un corte en las puntas, volver del derecho y planchar. Recortar la parte de arriba de la onda para que los dos bordes y la guata queden al mismo nivel.

7 Poniendo derecho con derecho, prender las piezas a ondas sobre los laterales de tela contrastada (los laterales con guata). Centrar las ondas largas en el extremo de los pies y de la cabecera, casando las costuras del centro de la onda. Prender todo alrededor. Casar las ondas cortas en los espacios intermedios. Debe quedar aproximadamente ½" (1,3 cm) entre los dos lados de la onda corta y de la onda larga. Comprobar que todas casan, embebiendo uniformemente cualquier sobrante en la onda o los laterales en la costura. Hilvanar todo alrededor. Prender los laterales de la tela estampada a la tela contrastada preparada, poniendo las ondas derecho con derecho. Hilvanar y luego hacer la costura alrededor. Comprobar que los bordes inferiores de los laterales quedan iguales, recortándolos si fuera preciso.

8 Prender los laterales con la base, casando los puntos centrales de la base con los de los laterales. Las costuras del lado de la cabecera y de los pies deben casar con el centro de la parte redondeada de la cabecera y de los pies. Prender, embebiendo cualquier sobrante de tela. Hilvanar y coser todo alrededor (pueden quedar algunos pliegues). Recortar la costura con cuidado y hacer un zigzag por el borde para rematarlo.

9 Si se ha hecho un colchoncito de espuma o ya lo incluía el moisés, se puede forrar de tela. Dibujar el colchoncito sobre dos capas de tela y añadir ¾" (2 cm) alrededor. Hacer una costura de ¼" (6 mm), dejando una abertura grande para volver del derecho. Volver la funda del derecho, meter dentro el colchoncito y cerrar la abertura a punto por encima.

» Instrucciones para la mantita

1 Cortar una pieza para el top de 20½" x 26½" (52 x 67,3 cm). Redondear las esquinas utilizando la plantilla de la mantita que se encuentra en la sección Plantillas al final del libro. Marcar los centros de todos los lados. Dibujar las líneas de bordado en el top y ponerle una guata por detrás.

2 Siguiendo las instrucciones para el forro referentes al «Freezer paper» y corte en el paso 4, cortar dos motivos de cigüeña y seis corazones. Pegar o prender las aplicaciones en su sitio y coserlas a punto por encima con una hebra de hilo de bordar a tono.

3 Bordar siguiendo las indicaciones del recuadro de bordado. Recortar al ras el top y la guata de la mantita.

4 Para hacer el ribete plisado, cortar cuatro tiras de tela contrastada de 2½" x 44" (6,3 x 111,7 cm). Coser las tiras una con otra por los extremos para obtener un aro de 174" (442 cm) de diámetro. Doblar por la mitad, revés con revés, para que quede de 1¼" (3,2 cm) de ancho. Plancharlo bien y comprobar que los bordes estén casados. Prender el canto del ribete en el borde del top de la mantita, empezando por un lado corto de 20½" (52 cm). Prender la tira en el centro de una esquina, medir unas 37" (94 cm) de ribete y prenderlo en la esquina. Medir unas 50" (127 cm) de ribete (en el lado largo de 26½" (67,3 cm), repetir con 37" y luego con 50". Yo seguí prendiendo hasta tener un alfiler cada 3" (7,6 cm), con 5" (12,7 cm) de ribete entre medias.

5 Con una hebra larga, hilvanar los pliegues de ¼" (6 mm) de ribete cada ½" (1,3 cm) aproximadamente. No tiene por qué ser perfecto, basta con formar los pliegues embebiendo el exceso de ribete antes de llegar al alfiler siguiente.

6 Cortar una pieza para la trasera de 22" x 28" (55,9 x 71,1 cm). Poniendo derecho con derecho, coser la trasera con el frente dejando una abertura en un lado recto para volver del derecho. Recortar, volver del derecho y planchar. Coser la abertura a punto de dobladillo. Para terminar, hacer un pespunte todo alrededor atravesando las tres capas.

Ha sido niña

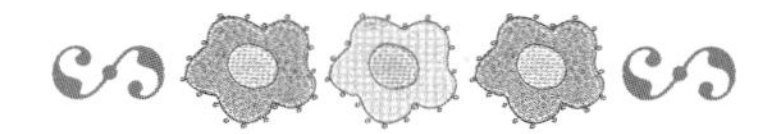

Los proyectos de este capítulo están llenos de alegres flores con las que celebrar la llegada de una niña. Los adornos de flor con relleno son muy fáciles de hacer y resultan unos regalos estupendos y rápidos para decorar una cuna, un cochecito o una silla de paseo. Una práctica bolsa con ocho bolsillos de distintos tamaños se cuelga en la pared y sirve para organizar el cuarto del bebé. Un precioso quilt para cuna en tonos rosas y amarillos pastel, se cubre de bonitas flores aplicadas y de bloques de patchwork. Una cinta de piquillo aporta aún más atractivo al quilt de cuna, y su ancho extragrande resulta muy efectivo.

El rosa es el color dominante en este capítulo, naturalmente en todas sus tonalidades, con toques de lila, limón, verde y azul que le dan contraste. Los estampados de algodón y el fieltro de lana se utilizan para hacer patchwork y también hay unas aplicaciones fáciles de realizar, adornadas con detalles de lazos de raso y puntos de bordado.

Adornos florales

Estos delicados adornos resultan perfectos en una cuna, en el coche o en la silla de paseo. Se pueden hacer en el tamaño que se desee, con solo ampliar o reducir la forma de la plantilla.

Se necesita

- Tela estampada, 8" x 16" (20,3 x 40,6 cm)
- Fieltro de lana rosa, 6" x 6" (15,2 x 15,2 cm)
- Dos telas estampadas en verde para las hojas, 5" x 3" (12,7 x 7,6 cm) de cada
- Tela rosa para el disco del centro, 3" x 3" (7,6 x 7,6 cm)
- Fliselina termoadhesiva
- Guata fina para quilts, 7" x 7" (17,8 x 17,8 cm)
- Cinta de ⅝" (1,6 cm) de ancho x 10" (25,4 cm)
- Cinta velcro de ½" (1,3 cm) de ancho x 5" (12,7 cm)
- Pegamento para tela
- Relleno para muñecos
- Hilo de bordar mouliné a tono con la tela del disco central y con el fieltro

Tamaño terminado:
4½" (11,4 cm) de diámetro

» Instrucciones

1 Con las plantillas de la sección Plantillas del final del libro, cortar dos flores grandes de tela estampada, ¼" (6 mm) mayores que el tamaño terminado (una para el frente y otra para el dorso). Cortar una flor mediana de fieltro de lana. Dibujar un círculo para el centro de la flor sobre fliselina termoadhesiva, pegarla por el revés de la tela rosa y recortar.

2 Cortar dos hojas de cada tela verde, ¼" (6 mm) mayores que el tamaño de la plantilla. Poniendo derecho con derecho, hacer una costura alrededor de las hojas, dejando una abertura en la base de ¾" (2 cm). Recortar las costuras con un margen de ⅛" (3 mm), volver del derecho y planchar.

3 Montar las hojas y las flores por este orden: flor grande, flor de fieltro y disco. Poner las hojas debajo de la flor de fieltro y prenderlo todo. Recortar el sobrante de las hojas. Pegar o prender la flor de fieltro en su sitio. Con la plancha, pegar el disco sobre la flor de fieltro.

4 Poner por detrás de la flor guata fina para quilts e hilvanarla para sujetar. Con una hebra de hilo de bordar, coser a punto por encima la flor de fieltro, pillando las hojas en la costura. Coser de igual modo el disco en su sitio.

5 Prender las hojas de nuevo, retirándolas de la costura. Poniendo derecho con derecho, coser el dorso a la flor todo alrededor, atravesando todas las capas. Recortar y cortar las puntas donde giran las costuras de los pétalos de la flor. Hacer un corte de 2" (5 cm) en el dorso de la flor y, a través de él, volverla del derecho y plancharla. Rellenar sin apretar y coser la abertura a punto por encima.

6 Doblar ½" (1,3 cm) de cinta hacia dentro en un extremo y hacer un dobladillo. Coser o pegar un lado del velcro (el lado con ganchitos o el lado con presillas) en ese extremo. Dar vuelta a la cinta y repetir este paso en el otro extremo. El velcro quedará a cada extremo en lados opuestos. Centrar la cinta en el dorso de la flor tapando la costura anterior. Coser a mano la cinta sobre esa costura. Colgar a los lados de la cuna o del coche de paseo.

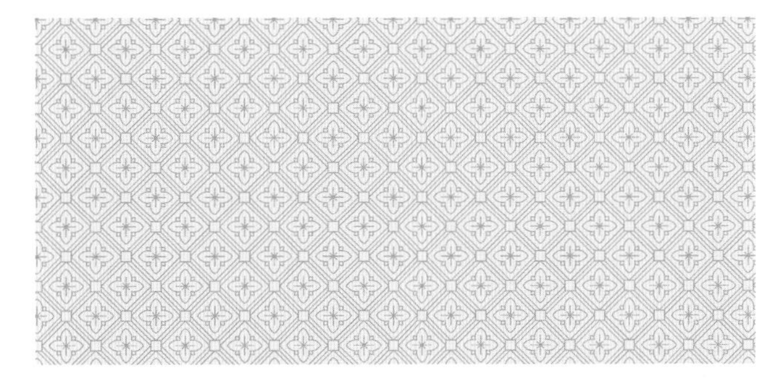

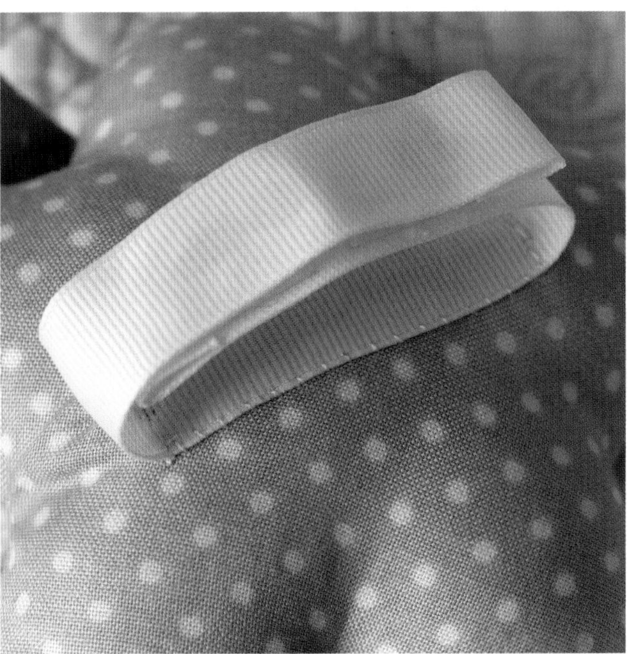

Organizador de pared

Este precioso quilt de pared lleva ocho bolsillos de distintos tamaños y es un regalo muy práctico para una futura mamá. Los colores y motivos se pueden cambiar fácilmente por otros en caso de que el bebé sea niño.

Se necesita

- Tela de color crudo para el fondo del centro, ¾ de yarda (75 cm)
- Tela rosa para el borde, las asas de colgar y la trasera, 1¼ yardas (1,25 m)
- Dos telas rosas para los bolsillos y las flores, ¼ de yarda (25 cm) de cada
- Dos telas rosas para los bolsillos de cesta y las flores, ½ yarda (50 cm) de cada
- Tela amarilla para los bolsillos y la flor, ⅓" de yarda (30 cm)
- Dos telas moradas, dos azules y tres verdes para aplicaciones, ¼ de yarda (25 cm) de cada
- Tres fieltros de lana rosa para las flores, 18" x 18" (45,7 x 45,7 cm) de cada
- Fliselina termoadhesiva y «Freezer paper»
- Guata fina para acolchar, 27" x 46" (68,6 x 116,8 cm) y para acolchar los bolsillos, 36" x 36" (91,4 x 91,4 cm)
- Cinta de raso rosa de ⅜" (1 cm) de ancho x 20" (50,8 cm)
- Percha
- Hilo de bordar mouliné DMC, 224 rosa claro y 3859 rosa fuerte, más colores a tono con telas y fieltros

Tamaño terminado:
24" x 42" (61 x 106,7 cm) con las asas de colgar

» Instrucciones

1 Ver las plantillas que correspondan en la sección Plantillas al final del libro. El quilt tiene cuatro clases de bolsillos y alguno se repite en otra tela (ver la disposición de los bolsillos en la fig. 1). Cortar el fondo central de tela crudo, de 22½" x 37½" (57,1 x 95,2 cm). Para bordear esta pieza, cortar dos tiras de tela rosa de 1½" x 37½" (3,8 x 95,2 cm), coserlas a los laterales de la pieza del fondo y planchar la costura abierta. Cortar dos tiras de 1½" x 24½" (3,8 x 62,2 cm), coserlas arriba y abajo de la pieza del fondo y planchar después las costuras abiertas.

2 Dibujar las líneas de bordado de la plantilla correspondiente en el borde exterior de la pieza del fondo. Poner guata por detrás de esta pieza terminada. Hacer el bordado como se indica en el recuadro de la página siguiente.

Fig. 1 Disposición del organizador de pared

3 Cortar las siguientes piezas de tela para los bolsillos (ver fig. 1):
Bolsillos con una flor: cortar cuatro piezas, tres en rosa y una en amarillo, de 6½" (16,5 cm) cada una. Volver a cortar esos mismos tamaños para la trasera de los bolsillos.
Bolsillo de flor y de corazón: cortar una pieza rosa de 6½" x 12½" (16,5 x 31,7 cm). Cortar una segunda pieza para la trasera del bolsillo.
Bolsillo con escena de flores: cortar una pieza amarilla de 9½" x 12½" (24,1 x 31,7 cm). Cortar una segunda pieza para la trasera del bolsillo.
Bolsillos de cesta de flor: para hacer las asas al bies de las cestas, cortar dos cuadrados de 17" (43,2 cm) de tela rosa. Cortar al bies dos rectángulos de tela rosa a juego con las asas al bies, de 6½" x 10½" (16,5 x 26,7 cm). Cortar otros dos rectángulos para la trasera. Guiándose por la plantilla, redondear las esquinas del rectángulo.

>> Bordado

- Con tres hebras de hilo de bordar rosa claro, hacer una bastilla siguiendo una línea de ondas suaves por el borde del panel de fondo.
- Con tres hebras de hilo de bordar rosa fuerte, hacer grupos de puntos de nudo en cada onda. Reservar la pieza.

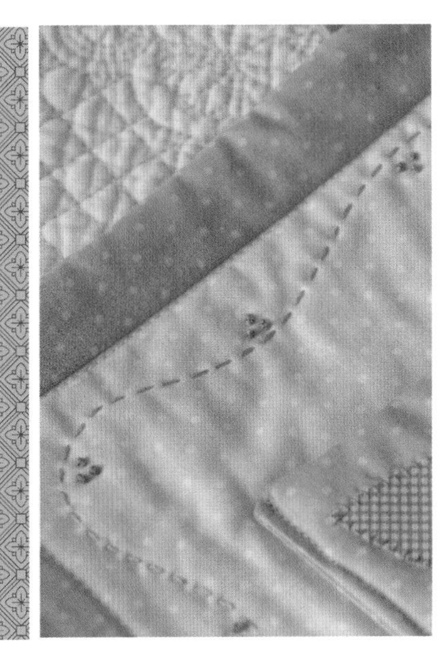

4 Bolsillos de cesta de flor: para hacer las asas al bies, tomar el cuadrado de 17" (43,2 cm) y, de esquina a esquina, cortar una tira de 1" (2,5 cm) de ancho en diagonal. Planchar doblado hacia el revés un borde de ¼" (6 mm) a cada lado largo. Reservar los triángulos sobrantes para las aplicaciones de las flores.

» CONSEJO

Yo puse guata fina para acolchar los bolsillos y apliqué todas las flores cosiéndolas sobre la guata para lograr un efecto acolchado. Pero antes de coser la trasera de los bolsillos, recorté la guata a ¼" (6 mm) de los bordes para que las esquinas de los bolsillos quedaran bien definidas.

5 Las piezas de "campo" verde para el bolsillo de la escena con flores, tienen un tamaño total de 9½" x 12½" (24,1 x 31,7 cm). Dibujar las piezas de campo sobre fliselina termoadhesiva y pegarlas con la plancha por el revés de las telas verdes. Recortar las piezas dejando un borde de ¼" (6 mm) por fuera para poderlas montar y coserlas en la costura (que se representa en la plantilla con una línea discontinua). Coser a punto por encima esas piezas en su sitio sobre el rectángulo de tela amarilla, con una hebra de hilo de bordar a tono.

6 Para las aplicaciones de flores del organizador, utilizar las plantillas correspondientes del final del libro. Las flores grandes son para el bolsillo alto de cesta y para los bolsillos de una sola flor. Dibujar los contornos de la flor grande y de la flor pequeña, los tallos, hojas, discos centrales y el corazón grande de las plantillas sobre fliselina termoadhesiva. Pegarla con la plancha en las telas y recortarlas. Dibujar las flores medianas en el lado de papel del «Freezer paper» y recortarlas. Siguiendo la plantilla, y solapándolas donde sea necesario, colocar todas las piezas. Pegar las piezas con fliselina termoadhesiva con la plancha y pegar o prender los fieltros en su sitio. Poner por detrás de cada bolsillo una guata fina. Con una hebra de hilo de bordar a tono, hacer un punto por encima alrededor de las aplicaciones.

» CONSEJO

Las flores y estrellas aplicadas se pueden utilizar en todas las labores para bebés, niño o niña, incluidos el protector de cuna, la bolsa para pañales y la almohada.

7 Colocar derecho con derecho la trasera que corresponda a cada bolsillo. Hacer una costura alrededor dejando una abertura para volver del derecho. Cortar las esquinas y la tela sobrante de las costuras, volver del derecho y planchar. Coser las aberturas a punto de dobladillo.

8 Colocar y prender todos los bolsillos en el panel central siguiendo la disposición de la fig. 1. Prender las asas al bies en su sitio, a cada lado de la parte superior de los bolsillos de cesta con flor. Tirar hacia abajo de la parte superior de los bolsillos de cesta y coser las asas en su sitio a ⅛" (3 mm) de los lados. Hacer ahora un pespunte bordeando todos los bolsillos por los lados y la parte inferior. Yo di unas puntadas hacia atrás de ¼" (6 mm) arriba para reforzar la abertura.

9 Hacer las presillas de las asas para colgar el organizador de pared cortando dos tiras de tela rosa de 4½" x 8" (11,4 x 20,3 cm). Doblar una tira por la mitad, derecho con derecho, a lo largo. Hacer una costura a ¼" (6 mm) del borde, darle la vuelta y planchar con la costura en el centro. Doblar la presilla por la mitad con la costura por dentro. Hacer igual la otra asa. Prender las dos presillas en la parte superior del organizador de pared, con una separación de 8" (20,3 cm) en el centro, a unas 6¼" (15,9 cm) de cada lado, con los extremos hacia dentro.

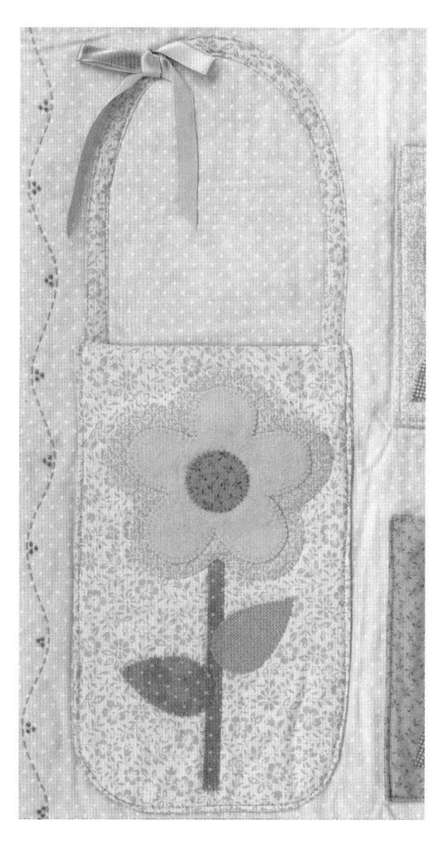

10 Prender la pieza de tela de la trasera con el frente terminado, derecho con derecho. Hacer una costura alrededor dejando una abertura abajo para volver del derecho. Yo hice la costura doble en las asas de colgar para reforzarlas. Cortar las esquinas, recortar las costuras, volver del derecho y planchar. Coser la abertura a punto de dobladillo. Hacer un pespunte atravesando todas las capas donde el borde se une con la tela de fondo del centro. Para terminar, cortar por la mitad una tira de cinta de raso y anudar cada tira en un lazo que se cose a mano en las asas de las cestas.

Quilt de flores para cuna

Este magnífico quilt salpicado de preciosas flores lleva un panel central con un marco en el que se van alternando los bloques de aplicación y de patchwork. Una suave tela de peluche forma la trasera del quilt.

Se necesita

- Tela de color crudo para el panel central y los centros de los bloques, 1 yarda (1 m)
- Cuatro telas estampadas en rosa y cuatro en amarillo para los bloques, ¼ de yarda (25 cm) de cada
- Tela amarilla para el borde, ⅓ de yarda (30 cm)
- Tres telas verdes para las aplicaciones del campo, de las hojas y de los tallos, ½ yarda (50 cm) de cada
- Tres telas rosas, dos azules y dos lavandas para las aplicaciones de las flores, ¼ de yarda (25 cm) de cada
- Dos telas rosas para las aplicaciones de los discos centrales, 8" x 8" (20,3 x 20,3 cm) de cada
- Tres fieltros de lana rosa para las flores, 18" x 18" (45,7 x 45,7 cm) de cada
- Cinta de piquillo ancha para bordear, 1½" (3,8 cm) x 4 yardas (4 m)
- Tela rosa para ribetear, ½ yarda (50 cm)
- Fliselina termoadhesiva y «Freezer paper»
- Guata fina para quilts, 45" x 54" (114,3 x 137,2 cm)
- Tela para la trasera (o peluche, ver Consejo a la derecha), 45" x 54" (114,3 x 137,2 cm)
- Hilo de bordar mouliné DMC, 224 rosa claro y 3859 rosa fuerte, más colores a tono con las telas y los fieltros

» Instrucciones

1 Ver las plantillas correspondientes en la sección Plantillas al final del libro. La aplicación del panel central consta de ocho partes. Cortar un centro de tela crudo de 20½" x 28½" (52 x 72,4 cm). Para las piezas del campo, utilizar las plantillas para dibujar las piezas sobre gasilla termoadhesiva (ver la disposición del panel central en la fig. 1). Plancharlas sobre el revés de las telas verdes. Cortarlas dejando un borde de ¼" (6 mm) todo alrededor de las piezas para solaparlas y para meterlas por

» CONSEJO

Yo utilicé peluche minkee para la trasera, que es un tejido de punto. Si se emplea, hay que ponerle una entretela para estabilizarlo y que no ceda. Comprar una entretela de grosor mediano y calcular la cantidad necesaria según el ancho que tenga. Seguir las instrucciones del fabricante para utilizar la entretela.

debajo de la costura del primer borde (que se indica en el panel con líneas discontinuas). Dibujar las líneas de bordado sobre las piezas de campo B y C. Planchar la pieza A, casando el borde izquierdo con el borde de la pieza central crudo. Planchar la pieza B solapando la pieza A y casando el borde derecho y el de abajo. Añadir ahora la pieza C, casando el borde izquierdo y el de abajo y solapando la pieza B. Coser a punto por encima estas piezas con una hebra de hilo de bordar a tono.

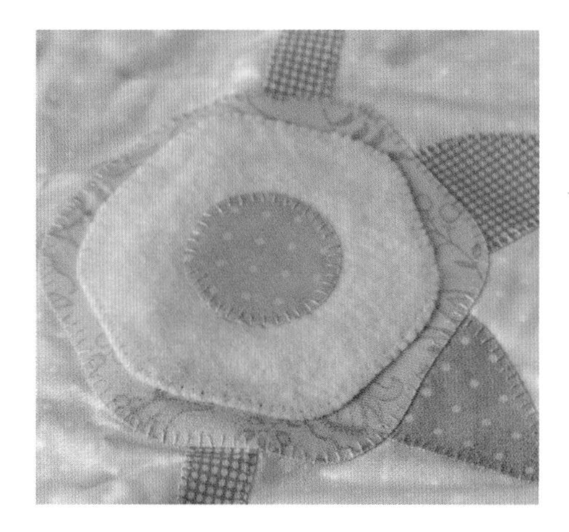

Tamaño terminado: 41" x 49" (104 x 124,5 cm)

Fig. 1 Aplicaciones del panel central

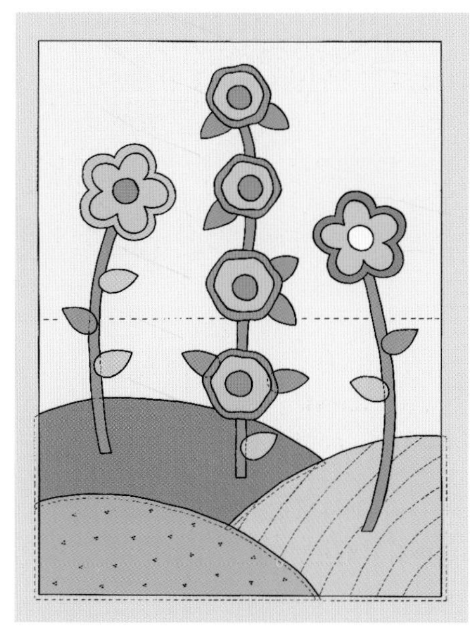

2 Para hacer el primer borde amarillo, cortar dos tiras para los laterales de 2½" x 28½" (6,3 x 72,4 cm). Coserlas a los lados de la pieza central crudo, pillando las piezas del campo en la costura. Planchar las costuras abiertas. Cortar dos tiras para arriba y abajo de 2½" x 24½" (6,3 x 62,2 cm) cada una. Coserlas arriba y abajo de la pieza central, pillando las piezas del campo en la costura. Planchar las costuras abiertas.

3 Para las aplicaciones de las flores de dentro del panel, dibujar con las plantillas las flores grandes, los tallos, las hojas y los discos centrales sobre fliselina termoadhesiva. Planchar sobre las telas de aplicación y recortar las figuras. Dibujar las flores medianas sobre el lado de papel de un «Freezer paper» y recortarlas. Colocar las piezas como se indica en la fig. 1, solapándolas donde corresponda. Planchar las piezas con fliselina y pegar o prender los fieltros de lana en su sitio. Con una hebra de hilo de bordar a tono, hacer un punto por encima alrededor de las figuras. Reservar esta pieza.

4

Para el quilt se necesitan nueve bloques de flores. Cortar nueve centros en color crudo de 5½" x 5½" (14 x 14 cm) cada uno. Añadir un borde a cada cuadro de telas estampadas rosas: cortar dos tiras laterales de 2" x 5½" (5 x 14 cm) cada una. Coserlas a los lados y planchar las costuras abiertas. Cortar dos tiras para arriba y abajo, de 2" x 8½" (5 x 21,6 cm). Coserlas y planchar las costuras abiertas.

5

Para hacer las aplicaciones de las flores en los bloques, dibujar nueve flores, nueve círculos y dieciocho hojas sobre fliselina termoadhesiva. Pegar con la plancha las flores sobre las telas rosas, lavandas y azules. Pegar con la plancha los círculos en las telas rosas. Pegar con la plancha las hojas sobre las telas verdes. Dibujar una o dos flores medianas sobre «Freezer paper» (ver Consejo). Recortar nueve flores de fieltro de distintos tonos rosas. Recortar las flores grandes, las hojas y los discos rosas. Pegar los motivos en los bloques de flor por este orden: pegar con la plancha dos hojas (variando su posición en cada bloque); una flor grande; pegar o prender una flor mediana de fieltro rosa; por último, pegar con la plancha un disco rosa en el centro de esta flor. Con una hebra de hilo de bordar a tono, hacer un punto por encima alrededor de cada aplicación.

6

Se necesitan nueve bloques de cuadrado dentro de un cuadrado. Cortar nueve centros crudo de 2½" x 2½" (6,3 x 6,3 cm). Añadir un borde rosa, cortando dos

» CONSEJO

Si se dibujan las figuras sobre «Freezer paper», se puede reutilizar cada una por lo menos seis veces. Se dibujan sobre el lado de papel, se planchan sobre el fieltro y se recortan. Luego se retira el papel. Se vuelve a colocar la figura sobre fieltro y se recorta, una y otra vez.

tiras para los laterales de 2" x 2½" (5 x 6,3 cm). Coserlas a los lados y planchar las costuras abiertas. Cortar las tiras de borde de arriba y abajo de 2" x 5½" (5 x 14 cm). Coserlas arriba y abajo y planchar las costuras abiertas. Añadir un segundo borde en amarillo. Cortar dos tiras para los laterales de 2" x 5½" (5 x 14 cm). Coserlas a los lados y planchar las costuras abiertas. Cortar las tiras de arriba y abajo, de 2" x 8½" (5 x 21,6 cm). Coserlas y planchar las costuras abiertas.

7

Unir los bloques uno con otro en filas (fig. 2) y coserlas primero a los lados del panel central y luego arriba y abajo del mismo.

Fig. 2

8 Dibujar sobre «Freezer paper» los redondeles para el centro de los bloques de cuadrado dentro de un cuadrado. Recortar y planchar el círculo en el centro de la sección de color crudo y, con el marcador que se prefiera, dibujar el círculo. Retirar el «Freezer paper» y repetir en los otros bloques.

9 Poner la guata en el dorso del quilt e hilvanar (o pegarla con spray adhesivo) en su sitio (ver Poner guata).

10 Prender la cinta de piquillo en su sitio sobre el primer borde amarillo, pivotando en las esquinas. En los extremos, hacer una costura francesa cosiendo primero los dos lados del revés. Luego recortar la costura y doblar para terminar, cosiendo los dos lados del derecho uno con otro. Planchar la costura. Coser la cinta de piquillo a máquina siguiendo las curvas a un lado y otro para afianzarla.

11 Hilvanar (o pegar con spray adhesivo) la tela de la trasera en el dorso del quilt. Cortar el ribete del ancho que se prefiera. Yo utilicé un ribete de 3" (7,6 cm) para este quilt. Ribetear siguiendo las instrucciones de Ribetear un quilt.

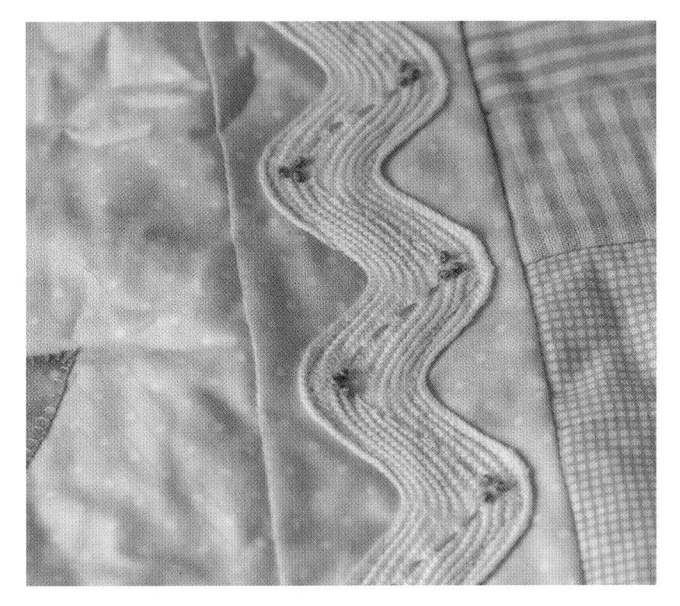

» Bordado

- Con tres hebras de hilo de bordar rosa claro, hacer una bastilla a ¼" (6 mm) de las flores grandes. Hacer también una bastilla en rosa sobre los círculos dibujados (1).
- Bordar la línea discontinua en la pieza B del campo, haciendo una bastilla en rosa claro. Añadir puntos de nudo rosa en la pieza C del campo (2).
- Sobre la cinta de piquillo, hacer tríos de puntos de nudo con tres hebras de hilo de bordar rosa fuerte. Con tres hebras de hilo de bordar rosa claro, hacer una bastilla (3).

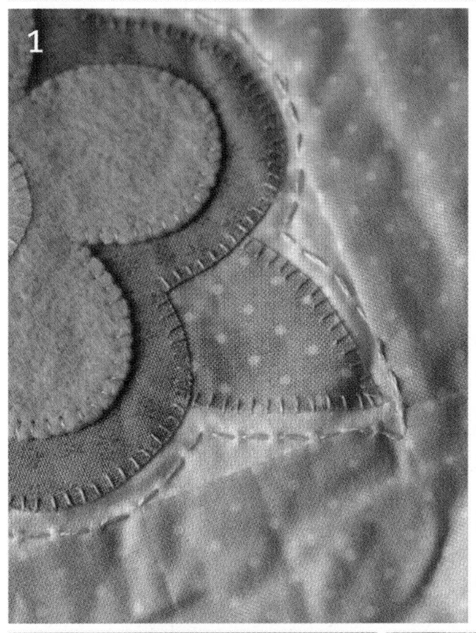
1

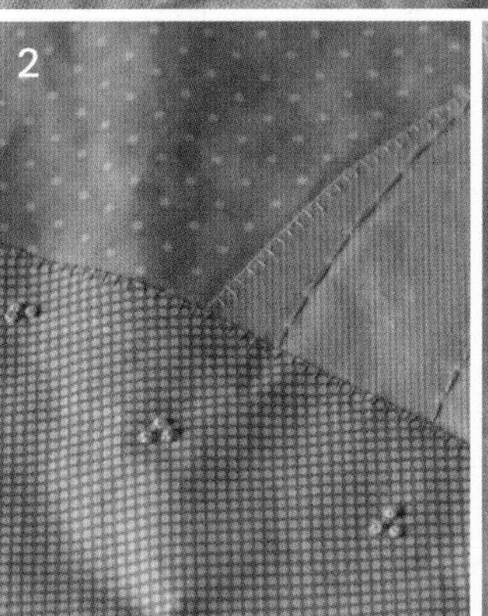
2

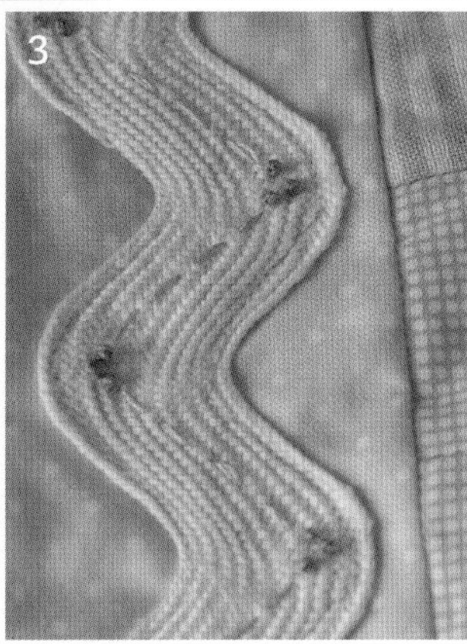
3

Ha sido niño

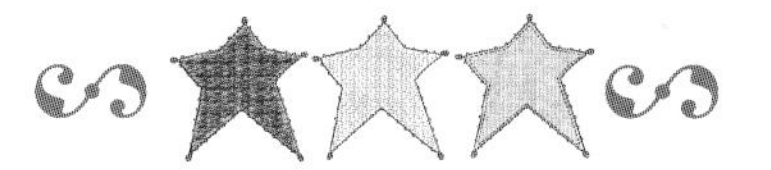

Los proyectos de este capítulo son perfectos para dar la bienvenida a un niño y todos juntos quedan muy bonitos adornando la habitación del pequeño. El motivo del caballito balancín es el centro de atención de un magnífico quilt de cuna, rodeado por unos bloques de estrella de aplicación. Las aplicaciones de estrella son fáciles de hacer y se utilizan de nuevo como motivo de un protector de paredes de cuna, que se puede ajustar a cualquier tamaño de cuna. El caballito también aparece en una versión más pequeña sobre una práctica bolsa para pañales. Asimismo se presenta una almohadita que puede servir como adorno o rellenarse de pot-pourri aromático.

En estos proyectos para la habitación del niño se han empleado colores azules suaves, un relajante crema y un cálido café. Las telas son una combinación de algodones con cuadritos, lunares y rayas y fieltros de delicados colores. Las técnicas son sencillas: cosido de piezas, acolchado y aplicaciones con fliselina termoadhesiva.

Almohada Dulces sueños

Esta encantadora almohada es fácil de confeccionar y una forma estupenda de aprovechar retalitos de tela. El piquillo extragrande añade un toque decorativo. Los motivos y colores se pueden cambiar para adecuarlos a una niña.

Se necesita

- Tela estampada azul para el frente y la trasera, 1/3 de yarda (30 cm)
- Tela estampada amarilla para la aplicación de la estrella, 8" x 8" (20,3 x 20,3 cm)
- Fieltro de lana azul para la aplicación de la estrella, 6" x 6" (15,2 x 15,2 cm)
- Tela estampada azul para la aplicación del disco, 3" x 3" (7,6 x 7,6 cm)
- Cinta de piquillo de 1½" (3,8 cm) de ancho x 1 1/3 de yarda (1,3 m)
- Fliselina termoadhesiva y «Freezer paper»
- Guata fina para quilts, 12" x 10" (30,5 x 25,5 cm)
- Relleno para muñecos, 340 g
- Hilo de bordar mouliné DMC, 813 azul y de colores a tono con las apliaciones

Tamaño terminado:
9" x 10" (23 x 25,5 cm)

» Instrucciones

1 Cortar el frente y la trasera de la almohada de tela estampada azul, de 9½" x 11" (24,1 x 28 cm). Reservar la pieza de la trasera por el momento. Por detrás del frente, poner una pieza de guata fina de 10" x 12" (25,5 x 30,5 cm).

2 Ver las plantillas que correspondan en la sección Plantillas. Para la aplicación, dibujar la estrella grande y el disco sobre el lado de papel de la fliselina termoadhesiva. Pegar la fliselina sobre el revés de la tela amarilla y recortar la estrella. Pegar el disco de fliselina sobre el revés de la tela azul y recortar el disco. Dibujar la estrella mediana sobre «Freezer paper». Pegarlo con la plancha sobre el fieltro azul y recortar la estrella. Pegar la estrella grande con la plancha en el centro del frente de la almohada. Prender o pegar la estrella mediana azul encima de la estrella grande. Pegar con la plancha el disco azul en medio de las dos estrellas. Con una sola hebra de hilo de bordar de color a tono con las aplicaciones, hacer un punto por encima para mantenerlas en su sitio.

3 Con tres hebras de hilo de bordar azul, hacer una bastilla alrededor de la estrella grande, a ¼" (6 mm) del borde.

4 Para hacer la almohada, prender la cinta de piquillo sobre el derecho del frente de la almohada, todo alrededor del borde, pivotando y prendiendo la cinta en las esquinas y casando el centro del piquillo con el borde de la almohada. (La costura se debe hacer sobre el centro recto del piquillo). Dejar sin prender un borde y donde los extremos del piquillo coinciden con la costura francesa. Para ello, coser primero el piquillo revés con revés y recortarlo junto a la costura. Coser derecho con derecho y planchar. Seguir prendiendo el piquillo hasta el último borde de la almohada. Hilvanar el piquillo en su sitio.

5 Poner la pieza de la trasera reservada encima del frente de la almohada, derecho con derecho. Hacer una costura alrededor dejando una abertura para volver del derecho. Recortar las esquinas, volver la almohada del derecho y rellenarla. Cerrar la abertura a punto por encima.

Proyecto de 2 días

Bolsa para pañales

Esta práctica bolsa de colgar es una buena idea para tener a mano los pañales y queda mucho más bonita que una bolsa de plástico. Lleva una base de cartón y una gran abertura por delante de fácil acceso.

Se necesita

- Tela azul para los costados, el fondo, el frente y el dorso, 1⅓ yardas (1,3 m)
- Tela cruda para la parte de arriba y los ribetes, ½ yarda (50 cm)
- Dos telas azules para las aplicaciones, 5" x 5" (12,7 x 12,7 cm) de cada
- Fieltro de lana tostado para la aplicación del caballito, 9" x 6" (23 x 15,2 cm)
- Fieltro de lana tostado oscuro para las aplicaciones de las crines, la cola y el balancín, 8" x 6" (20,3 x 15,2 cm)
- Tres tonos de fieltro de lana amarillo para las aplicaciones de estrellas, 9" x 9" (23 x 23 cm)
- Tela amarilla para la aplicación de la estrella de la silla, 2" x 2" (5 x 5 cm)
- Entretela termoadhesiva de grosor medio, 2¼ yardas (2,25 m)
- Fliselina termoadhesiva y «Freezer paper»
- Cartón para la base, 8½" x 12½" (21,5 x 31,7 cm)
- Percha pequeña
- Hilo de bordar mouliné DMC, 310 negro, 813 azul, 3821 amarillo, más colores a tono con las telas y las aplicaciones

Tamaño terminado:
12½" de ancho x 25" de alto x 8½" de fondo (31,7 x 63,5 x 21,5 cm)

» Instrucciones

1 Cortar las piezas de tela. De tela azul, cortar dos frentes de 16" x 18" (40,5 x 45,7 cm) cada uno y un dorso de 13" x 18" (33 x 45,7 cm). Cortar dos costados de 9" x 18" (23 x 45,7 cm) y un fondo de 9" x 13" (23 x 33 cm). Cortar dos cubiertas para el cartón

» CONSEJO

Comprobar que la percha se ajusta a la forma de arriba de la bolsa. Si no es así, se modifica la forma de arriba, pero procurando no cambiar el ancho. Si hay que alterar el ancho, se añade la medida extra dividiéndola entre el frente y el dorso, solamente de la parte de arriba. Si, por ejemplo, se añade 1" (2,5 cm), hay que añadir ¼" (6 mm) a los anchos de cada frente y ½" (1,3 cm) al ancho del dorso. Estas piezas quedan en disminución de arriba hacia abajo. Yo dejaría las medidas de abajo y de los lados como están.

de 9" x 13" (23 x 33 cm). De tela color crudo, cortar dos piezas para la parte de arriba de 10" x 14" (25,5 x 35,5 cm) y dos tiras para el ribete de 2½" x 18" (6,3 x 45,7 cm).

2 Recortar las piezas de los costados de este modo (fig. 1): en un borde corto de 9" (23 cm), medir 2¼" (5,7 cm) desde cada lado y hacer una marca. Quedan 4½" (11,4 cm) en el centro. Con una regla, cortar desde la marca hasta la esquina del otro lado corto para dejar los lados en diagonal. Repetir al otro lado. Los lados deben medir ahora 4½" (11,4 cm) arriba, 9" (23 cm) abajo y 18" (45,7 cm) de largo.

Fig. 1

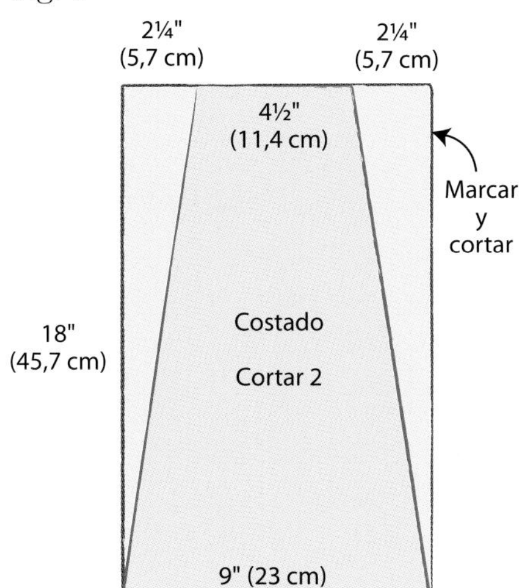

3 Poner entretela termoadhesiva por el revés de las piezas siguientes: dos frentes azules, dos costados azules, un dorso azul, un fondo azul y dos piezas de arriba de color crudo.

» CONSEJO

Yo refuerzo todas las telas con un estabilizador antes de añadir las aplicaciones o los bordados. Puedo hacerlo con guata fina para quilts o, en el caso de este proyecto, con una entretela termoadhesiva de grosor medio. De este modo, la tela se mantiene estable mientras se hacen las aplicaciones y el proyecto terminado queda con cuerpo.

4 Preparar las piezas del frente ribeteando un frente derecho y uno izquierdo con las tiras crudo. Doblar hacia el revés ¼" (6 mm) a lo largo de los dos bordes de cada tira. Poniendo revés con revés, planchar las tiras dobladas por la mitad de manera que quede una tira de 1" x 18" (2,5 x 45,7 cm). Situar el borde de 18" (45,7 cm) de una pieza frontal por dentro del doblez de la tira. La pieza frontal debe quedar bien metida hasta el doblez. Prender el ribete y hacer un pespunte a ⅛" (3 mm) del borde remetido, pillando las dos partes del ribete. Repetir el proceso con el otro lado del frente. Con hilo de coser, hacer una bastilla de frunce por arriba y por abajo de la tela azul, a ⅛" (3 mm) del borde, dejando hebras largas. No coser el ribete en esta bastilla de frunce.

5 Dibujar la estrella sobre «Freezer paper» y utilizar esta plantilla para recortar las estrellas de los fieltros amarillos. Dibujar seis discos azules sobre el lado de papel de la fliselina termoadhesiva y pegarlos con la plancha sobre el revés de tres telas azules. Recortarlos. Prender o pegar tres estrellas de fieltro en cada pieza del frente. Pegar con la plancha un disco en medio de cada estrella. Hacer un punto por encima de los bordes de las aplicaciones con una hebra de hilo de bordar a tono.

6 Preparar la pieza de arriba dibujando el caballito, las crines, la cola y el balancín sobre «Freezer paper». Con líneas discontinuas se indica dónde se solapan las piezas. Cortar el caballito de fieltro tostado y las crines, la cola y el balancín de fieltro tostado oscuro. Dibujar la silla, la estrella y los pequeños discos del balancín sobre fliselina termoadhesiva. Pegar con la plancha la silla y los discos sobre el revés de la tela azul, y la estrella sobre el revés de la tela amarilla. Recortar las figuras. Colocar sobre una de las piezas color crudo de la parte de arriba. Prender o pegar los fieltros en su sitio. Planchar las figuras con fliselina termoadhesiva para pegarlas en su sitio. Hacer un punto por encima en los bordes de las aplicaciones con una sola hebra de hilo de bordar a tono.

7 Bordar el caballito como se indica en el recuadro de bordado de la página siguiente.

8 La bolsa para pañales está preparada para montar. Unir las piezas como se indica en la fig. 2, empezando por la pieza frontal de la izquierda.

Fig. 2

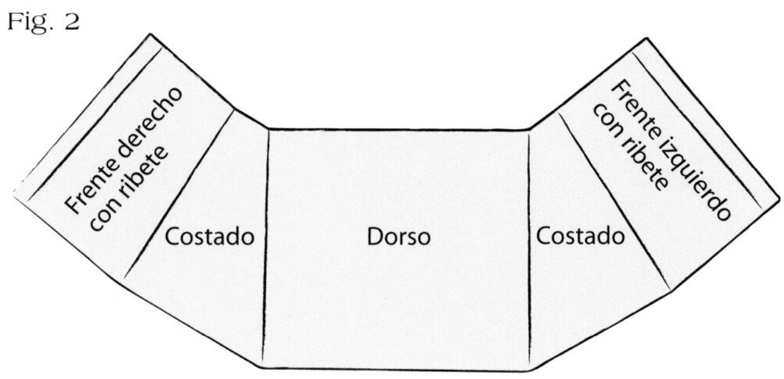

9 Unir la base de este modo (ver fig. 3): en un lado del largo del 13" (33 cm), marcar el centro a 6½" (16,5 cm). Poniendo derecho con derecho, prender la pieza cruda en la marca de centro. Enfrentar la otra pieza del ribete con esta en el centro y prenderla. Prender las costuras laterales en las esquinas de la pieza de fondo y prender la pieza del dorso al otro lado de 13" (33 cm). Tirar de las hebras de frunce para fruncir las piezas frontales y ajustarlas desde la esquina hasta el ribete y luego prenderlas e hilvanarlas. Hacer la costura alrededor deteniéndola a ¼" (6 mm) de cada borde, pivotando la labor sobre la aguja. Asegurarse de no coger en la costura demasiado frunce y rematar los cantos con un zigzag.

Fig. 3

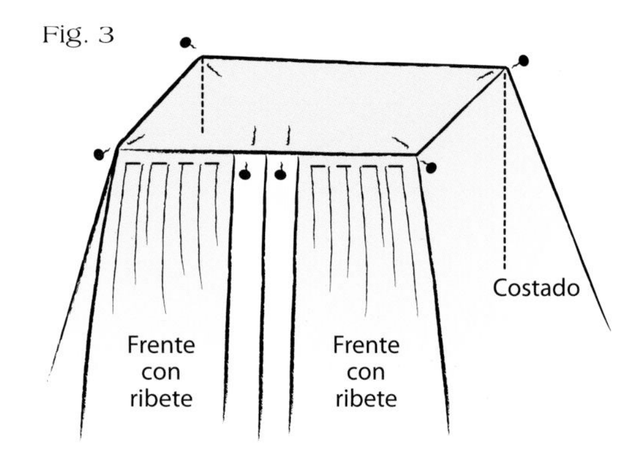

>> Bordado

- Bordar las riendas a pespunte con tres hebras de hilo de bordar amarillo.
- Hacer un punto de nudo en la brida con tres hebras de hilo azul.
- Hacer un punto de nudo para el ojo con tres hebras de hilo negro.

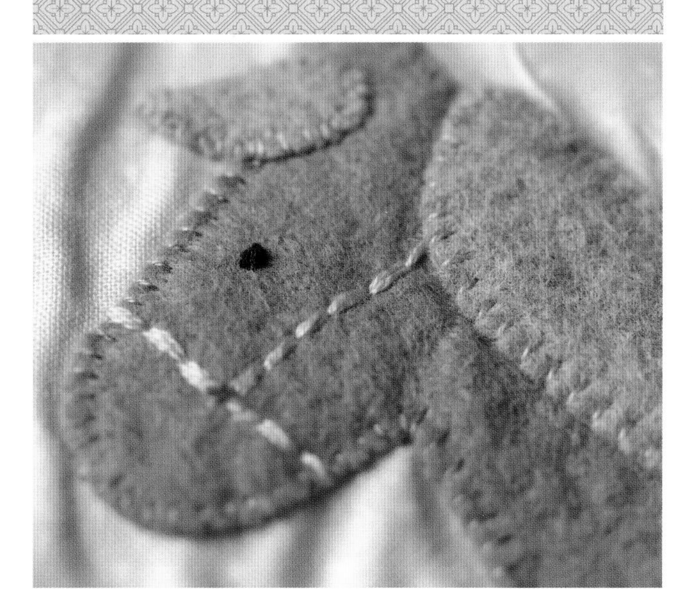

10 Coser la parte de arriba montando las dos piezas derecho con derecho y dejando una abertura en lo alto para la percha. Volver del derecho y planchar. Marcar el centro de la pieza frontal de arriba, a unas 6³/₈" (16 cm) del lateral (figs. 4A y 4B). Poniendo derecho con derecho, enfrentar las piezas del ribete por esa marca. Prender las costuras laterales del frente con las costuras laterales de la pieza de arriba. Tirar de las hebras de la bastilla para fruncir la tela del frente y ajustarla. Prender las costuras laterales del dorso con las costuras laterales de la pieza de arriba (será junto al alfiler anterior). La tela que sobra en los costados queda suelta. Prender la tela suelta en el centro con la costura de la pieza de arriba. Habrá tres alfileres, casi uno encima de otro. Aplastar esa tela suelta para doblarla contra el dorso y frente por igual y solaparla (también quedan solapados los frunces).

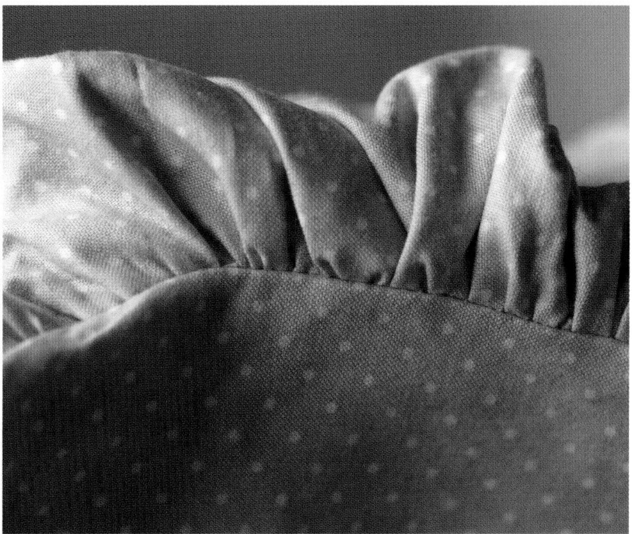

Prender e hilvanar, retirando los alfileres de uno en uno. Hacer la costura alrededor. Asegurarse de que no quedan frunces demasiado abultados. Rematar los cantos con un zigzag.

Figs. 4A y 4B

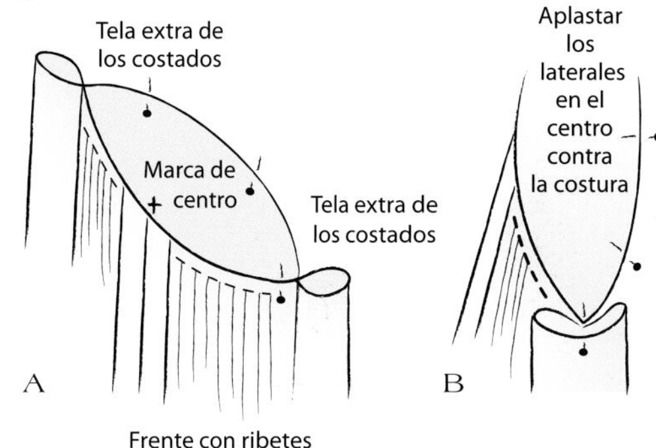

11 Terminar la parte de arriba con una bastilla, utilizando tres hebras de hilo de bordar azul. No solamente queda mejor sino que se refuerza la costura en la abertura.

12 Para la base de cartón, poner las dos piezas azules de 9" x 13" (23 x 33 cm) derecho con derecho y coserlas por tres lados. Volverlas del derecho y planchar hacia dentro los bordes abiertos. Meter la pieza de cartón y, con hilo de bordar a tono, coser la abertura a punto por encima. Poner esta pieza en el fondo para formar una base plana. Meter la percha por la abertura, y la bolsa ya está lista para guardar en ella los pañales.

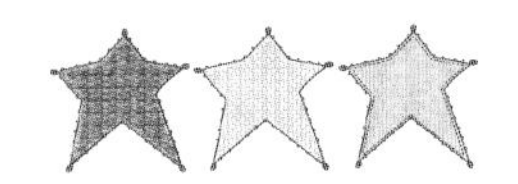

Proyecto de 1 semana

Protectores de cuna

Las figuras de estos protectores mullidos son unas estrellas de aplicación que alternan con cuadrados con motivos acolchados. El protector se puede hacer más largo o más corto para adaptarlo al tamaño de la cuna. Los colores y motivos se pueden cambiar para un bebé niña.

Se necesita

- Tela estampada azul para el frente y las cintas de atar, 1½ yardas (1,5 m)
- Tela estampada en crudo para el frente, 1 yarda (1 m)
- Tela estampada azul para la trasera, 1¼ yardas (1,25 m)
- Cuatro telas estampadas en amarillo para las aplicaciones de las estrellas, ¼ de yarda (25 cm) de cada
- Tres fieltros de lana en azul para las aplicaciones, ¼ de yarda (25 cm) de cada, o 12" x 12" (30,5 x 30,5 cm) de cada
- Tres estampados azules para las aplicaciones de los discos, 6" x 6" (15,2 x 15,2 cm) de cada
- Guata fina, ¾ de yarda x 90" (75 x 230 cm)
- Guata mullida, ¾ de yarda x 90" (75 x 230 cm)
- Fliselina termoadhesiva y «Freezer paper»
- Hilo de bordar DMC, 813 azul y de colores a tono con los amarillos y azules de las aplicaciones
- Pegamento en spray

Tamaño terminado:
9" x 164" (23 x 416,5 cm)

» Instrucciones

1 Para la cabecera y los pies del protector cortar seis cuadrados de 9½" x 9½" (24,1 x 24,1 cm), cuatro de tela estampada azul y dos de tela color crudo. Para los laterales del protector, cortar diez rectángulos de 9½" x 11" (24,1 x 28 cm), cuatro de tela estampada azul y seis de tela color crudo.

2 Ver las plantillas correspondientes en la sección Plantillas. Aplicar las estrellas en todos los cuadrados o rectángulos color crudo. Dibujar ocho estrellas grandes y círculos en el lado de papel de la fliselina termoadhesiva. Dibujar una estrella mediana en el lado de papel del «Freezer paper». Pegar las estrellas de fliselina sobre el revés de las cuatro telas amarillas y los discos sobre el revés de las tres telas azules. Cortar ocho estrellas grandes de distintos colores, ocho estrellas medianas de fieltros azules y ocho discos azules. Pegar con la plancha

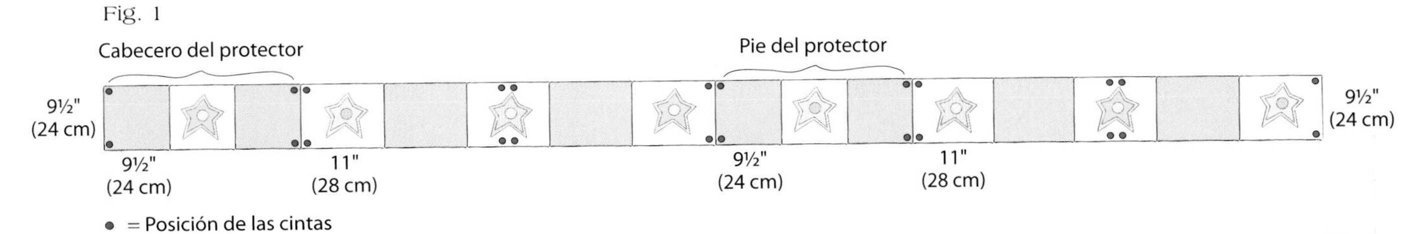

Fig. 1

las estrellas amarillas en medio de cada cuadrado o rectángulo crudo. Prender o pegar las estrellas medianas de fieltro azul y los discos azules en el centro de cada estrella grande. Hacer un punto por encima alrededor de las aplicaciones con una hebra de hilo de bordar a tono.

3 Coser el frente del protector uniendo todos los cuadrados y rectángulos por los bordes de 9½" (24,1 cm), siguiendo el orden de la fig. 1. Deben quedar dieciséis bloques unidos, midiendo en total 159½" (405,1 cm) de largo.

4 Poner detrás de esta pieza una plancha de guata fina cortada con un ancho de 10" (25,5 cm). Unir las piezas de guata enfrentando los bordes y conseguir que queden lisos. Con una hebra de hilo de bordar, coser las piezas una con otra a punto por encima. Por último, hilvanar o aplicar pegamento en spray a la guata para fijarla en el dorso del protector.

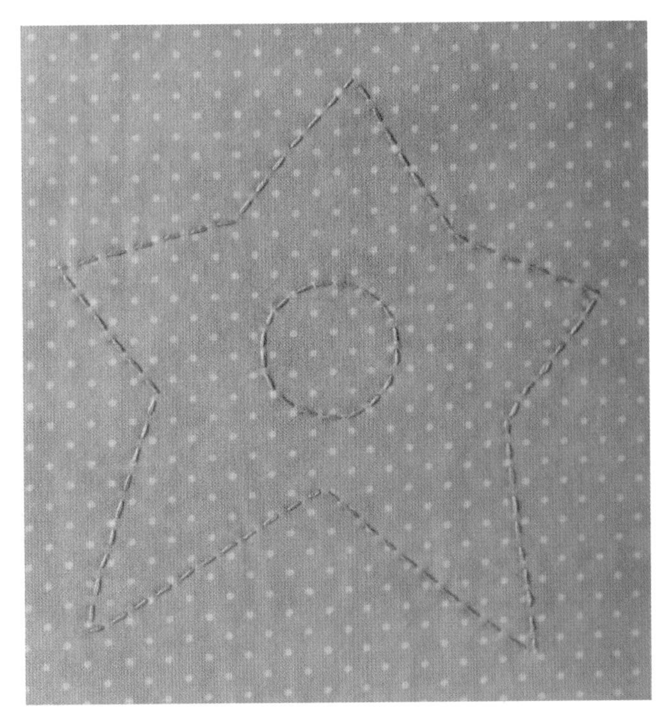

5 Bordar las aplicaciones y los motivos de estrella como se indica en el recuadro de la página siguiente.

6 Para las cintas de atar, cortar veinticuatro tiras de tela azul estampada de 2½" x 9½" (6,3 x 24,1 cm). Doblarlas por la mitad a lo largo, derecho con derecho, y hacer una costura por el lado largo y un lado corto. Volver las tiras del derecho y plancharlas. Prender las cintas en su sitio en el protector, derecho con derecho, casando el borde sin rematar con el canto del protector, en las posiciones indicadas con puntos rojos en la fig. 1. Hilvanar las cintas en su sitio.

7 Cortar dos piezas de guata mullida de 11" x 90" (28 x 228,5 cm). Coserlas a punto por encima lo mismo que se hizo con la guata fina, enfrentando los bordes para que no abulten. Prender o hilvanar sobre el revés del frente del protector.

8 Para la trasera del protector, cortar cuatro piezas de tela de 9½" (24,1 cm) de ancho por el ancho de la tela. Coserlas por los lados cortos y cortarlas en una pieza de 165" (420 cm) de largo (un poco más larga que el frente). Prender la trasera con el frente, derecho con derecho, y hacer una costura por todo el borde, atravesando todas las capas y dejando en el centro una abertura de unas 15" (38 cm) para volver del derecho. Al coser, asegurarse de no pillar las cintas. Recortar la guata a ³⁄₈" (1 cm) de los cantos de tela y cortar las esquinas. Pasar todo el protector por la abertura y volverlo del derecho. Planchar y doblar hacia dentro los cantos de la abertura. Con hilo de coser de un color a tono con la tela, cerrar la abertura a punto por encima.

9 Acolchar a máquina haciendo una costura sobre costuras, atravesando todas las capas entre los bloques azules y crudos. Colocar el protector forrando las paredes de la cuna y por último atarlo con las cintas a los barrotes.

» Bordado

- Con tres hebras de hilo de bordar azul, hacer una bastilla a ¼" (6 mm) de cada estrella de aplicación, atravesando todas las capas (1).
- Para acolchar, dibujar una estrella grande y un disco sobre «Freezer paper». Con la plancha, pegar la estrella en el centro de un cuadrado o un rectángulo azul. Con el marcador que se prefiera, dibujar el contorno de la estrella y retirar la estrella de papel. Pegar el disco en el centro y dibujar su contorno. Repetir en todos los cuadrados o rectángulos azules. Hacer una bastilla con tres hebras de hilo de bordar azul sobre el dibujo de las estrellas y los discos. Borrar las marcas cuando se haya terminado de bordar (2).

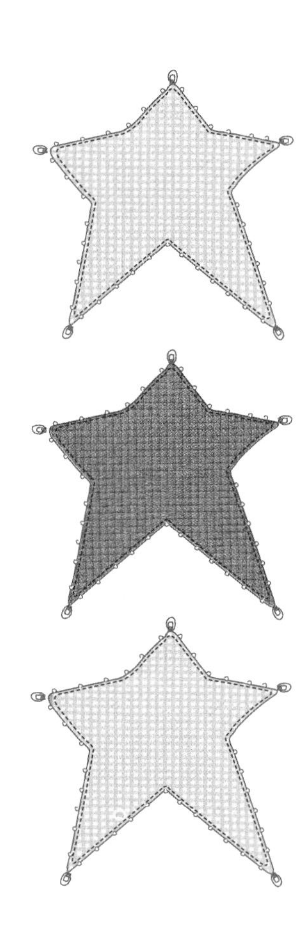

Proyecto de 1 semana

Quilt Caballito balancín

Un caballito balancín aplicado en el panel central adorna un precioso quilt de cuna, y las figuras de aplicación son fáciles de hacer. Los bloques alternan estrellas y cuadrados dentro de cuadrados para enmarcar el centro. En la trasera utilicé una tela de peluche suave.

Se necesita

- Tela cruda para el centro del quilt y los centros de los bloques, 1 yarda (1 m)
- Cuatro estampados en azul y tostado para los bloques, ¼ de yarda (25 cm) de cada
- Tela en tostado para el primer borde, ⅓ de yarda (30 cm)
- Tela azul para la aplicación de la cuadrícula, ¼ de yarda (25 cm)
- Tela azul para las aplicaciones de la silla y los discos, ¼ de yarda (25 cm)
- Dos telas azules para las aplicaciones de los discos y cuatro telas amarillas para las estrellas, ¼ de yarda (25 cm) de cada
- Tres fieltros de lana azules para las aplicaciones de las estrellas, 18" x 18" (45,7 x 45,7 cm) de cada
- Fieltro de lana en tostado y tostado oscuro para la aplicación del caballito de balancín, 18" x 18" (45,7 x 45,7 cm) de cada
- Retal de fieltro de lana negro para la aplicación del ojo
- Cinta de piquillo de 1½" (3,8 cm) de ancho x 4 yardas (3,75 m)
- Tela azul para ribetear, ½ yarda (50 cm)
- Fliselina termoadhesiva y «Freezer paper»
- Guata fina, 45" x 54" (114 x 137 cm)
- Tela para la trasera, 45" x 54" (114 x 137 cm)
- Hilo de bordar mouliné DMC, 813 azul, 3752 azul claro, más colores a tono con las telas y los fieltros

Tamaño terminado:
41" x 49" (104 x 124,5 cm)

» Instrucciones

1 Cortar la pieza central color crudo de 20½" x 28½" (52 x 72,5 cm). Para aplicar la cuadrícula azul, pegar por el revés de la tela azul una fliselina termoadhesiva. Cortar tres tiras de ¾" x 28½" (2 x 72,4 cm) y cinco tiras de ¾" x 20½" (2 x 52,1 cm). Empezar por pegar con la plancha la tira central vertical. Situar las otras dos tiras largas a unas 4½" (11,4 cm) de la tira central y de los bordes laterales y pegarlas con la plancha. Para las tiras horizontales, colocar la tira central y pegarla con la plancha. Colocar ahora dos tiras a cada lado del centro, con una separación de unas 4¼" (10,8 cm) una de otra. Colocar las dos últimas tiras arriba y abajo. Los extremos de las tiras deben quedar al ras de los bordes de la pieza color crudo.

2 Añadir el borde estrecho tostado cortando dos tiras de 2½" x 28½" (6,3 x 72,4 cm) y cosiéndolas a los laterales de la pieza crudo, pillando las tiras azules en la costura. Planchar las costuras abiertas. Cortar dos tiras de 2½" x 24½" (6,3 x 62,2 cm) y coserlas arriba y abajo, pillando las tiras azules en la costura. Planchar las costuras abiertas.

3 Para la aplicación del caballito balancín, dibujar el caballo sobre el lado de papel de un «Freezer paper». (La línea discontinua indica dónde continúa la línea por debajo de las crines y de las piezas del balancín). Pegarlo con la plancha sobre fieltro tostado y recortarlo. Dibujar las crines, la cola y el balancín. (La línea discontinua indica dónde situar la cola por debajo del caballo). Dibujar las riendas, la silla, la estrella pequeña y los discos sobre el lado de papel de fliselina termoadhesiva. Pegar con la plancha las piezas de la estrella y las riendas sobre el revés de la tela amarilla y recortar. Pegar con la plancha la silla y los discos sobre la tela azul y recortar. Centrar todas las piezas en medio del panel central del quilt, encima de la cuadrícula azul, siguiendo el dibujo y solapando cuando sea necesario. Pegar o prender los fieltros en su sitio y pegar con la plancha las piezas con fliselina. Hacer un punto por encima con una hebra de hilo de bordar a tono. Reservar esta pieza de momento.

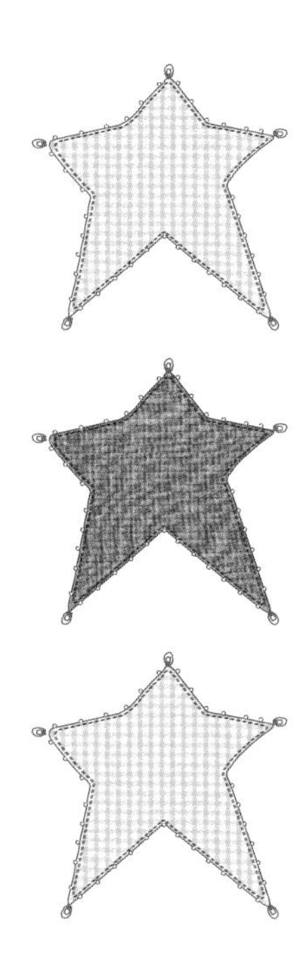

4 Hay que hacer en total nueve bloques de estrella. Cortar nueve centros de tela cruda de 5½" x 5½" (14 x 14 cm). Cada bloque lleva un borde azul estampado: cortar dos tiras de 2" x 5½" (5 x 14 cm), coserlas a los laterales del cuadrado crudo y planchar las costuras abiertas. Cortar dos tiras de 2" x 8½" (5 x 21,6 cm) y coserlas arriba y abajo; planchar las costuras abiertas. Repetir con todos los bloques de estrella.

5 Hacer en total nueve bloques de cuadrado dentro de un cuadrado. Cortar nueve centros de tela cruda de 2½" x 2½" (6,3 x 6,3 cm) cada uno. Para el primer borde azul, cortar dos tiras de 2" x 2½" (5 x 6,3 cm) y coserlas a los laterales de los cuadrados crudo; planchar las costuras abiertas. Cortar dos tiras de 2" x 5½" (5 x 14 cm), coserlas arriba y abajo y planchar las costuras abiertas. Para el segundo borde tostado, cortar dos tiras de 2" x 5½" (5 x 14 cm), coserlas a los laterales y planchar las costuras abiertas. Cortar dos tiras de 2" x 8½" (5 x 21,6 cm), coserlas arriba y abajo y planchar las costuras abiertas. Repetir con todos los bloques de cuadrado dentro de un cuadrado.

6 Para las aplicaciones de estrella, dibujar nueve estrellas grandes y nueve discos sobre fliselina termoadhesiva. Pegar con la plancha las estrellas sobre las telas amarillas y los discos sobre las telas azules. Dibujar una o dos estrellas medianas sobre «Freezer paper». Recortar nueve estrellas de fieltro de distintos azules. Recortar las estrellas grandes amarillas y los discos azules. Montar por este orden los bloques de estrella: pegar con la plancha una estrella grande en su sitio, pegar o prender encima una estrella mediana de fieltro azul y un disco azul en el centro de esta estrella. Hacer un punto por encima por el borde de las aplicaciones con una hebra de hilo de bordar a tono.

7 Coser los bloques uno con otro siguiendo el orden de la fig. 1. Planchar las costuras abiertas.

Fig. 1

8 Dibujar los discos de los centros de los bloques de cuadrado dentro de un cuadrado sobre «Freezer paper» y recortarlos. Planchar el disco en el centro del cuadrado crudo y dibujar el contorno con el marcador que se prefiera. Después, retirar el papel y repetir con los otros bloques.

9 Poner por detrás del top una guata fina e hilvanar (o pegar con spray adhesivo) las dos capas. Bordar el quilt tal y como se indica en el recuadro de la página siguiente.

>> **CONSEJO**

El «Freezer paper» se puede volver a utilizar por lo menos seis veces antes de que pierda su poder de adherirse. Retirarlo y volverlo a pegar con la plancha sobre una nueva pieza de aplicación.

10 Prender la cinta de piquillo en su sitio encima del borde tostado estrecho y girando en las esquinas. En los extremos, hacer una costura francesa cosiendo primero los lados del revés. Cortar junto a la costura y coser luego por el derecho para terminar. Planchar la costura. Coser a máquina el piquillo siguiendo la curva por los dos lados para que quede fuerte.

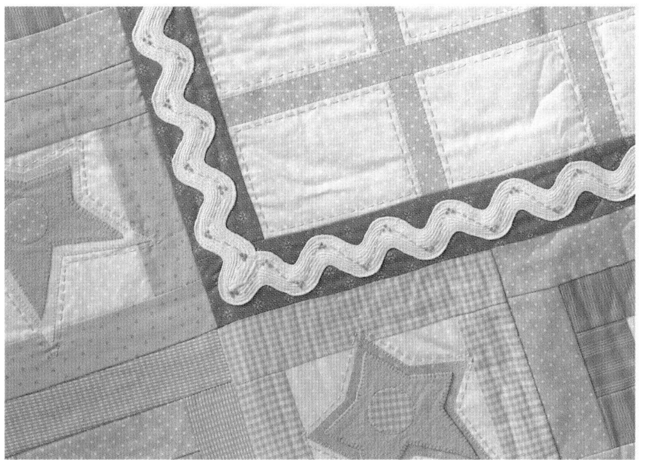

11 Para la trasera utilicé un peluche suave (minkee), que es un tejido de punto. Antes de coserlo, forrarlo por el revés con entretela de grosor intermedio para estabilizarlo y que no ceda. Seguir las instrucciones del fabricante para pegar la entretela. Hilvanar la trasera sobre el revés del quilt. Ribetear el quilt con una tira cortada del ancho que se prefiera siguiendo las indicaciones de Ribetear un quilt. Yo utilicé un ancho de 3" (7,6 cm).

» Bordado

- Con tres hebras de hilo de bordar azul claro, hacer una bastilla a ¼" (6 mm) de las tiras de cuadrícula azules (1).
- Utilizar tres hebras de hilo de bordar azul claro para hacer una bastilla bordeando las estrellas grandes y los discos en el centro de los bloques de cuadrado dentro de un cuadrado (2).
- Bordar sobre el piquillo una bastilla con tres hebras de hilo de bordar azul claro. Hacer tríos de puntos de nudo en color azul (3).

1

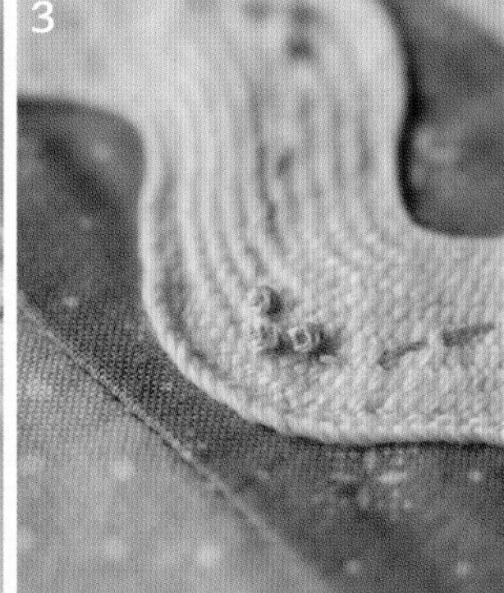
3

2

Dulces recuerdos

Reunir y exponer los mejores recuerdos de la infancia no puede ser más fácil con los proyectos de este capítulo. Sencillos de hacer y muy prácticos, resultan además encantadores con los graciosos ositos que los adornan. Una banda que se ata, adornada con caras de ositos, es un proyecto realmente rápido y también muy versátil: sirve para un álbum de fotos, para agrupar recuerdos o para cerrar un diario. Los ositos se utilizan como aplicaciones de un práctico tablero, perfecto para exponer en él las fotos de familia preferidas. Los papás y abuelos estarán encantados y sabrán apreciar un álbum con las fotos de sus adorables pequeños.

Los cuadritos en tonos pastel, los lunares de estampados lila y una cinta de piquillo color lavanda ponen refrescantes notas de color en todos los proyectos de este capítulo. Las aplicaciones de colores se hacen fácilmente y en poco tiempo con fieltro de lana y fliselina termoadhesiva.

Banda para álbum de fotos

Esta preciosa banda con sus divertidos ositos es perfecta para atarla en torno a un álbum que guarde las fotos más preciadas. También es una buena idea para colocar alrededor de una tarta.

Se necesita

- Tela estampada lavanda para el centro, ¼ de yarda (25 cm)
- Cinta de piquillo lavanda para el borde, ⅝" (1,6 cm) de ancho x 50" (127 cm)
- Fieltro de lana lavanda para el dorso, ¼ de yarda (25 cm)
- Retales de fieltro de lana rosa claro, rosa, azul claro, azul, amarillo claro, amarillo, crema y verde claro para las cabezas de ositos aplicadas, 1½" x 1½" (3,8 x 3,8 cm) de cada
- Cinta lavanda, dos tiras de ⅝" (1,6 cm) de ancho x 15" (38,1 cm)
- «Freezer paper»
- Hilo de bordar mouliné DMC, 310 negro y 3863 marrón, más colores a tono con los de los fieltros

Tamaño terminado:
4" x 21" (10,2 x 53,3 cm)
sin cintas de atar

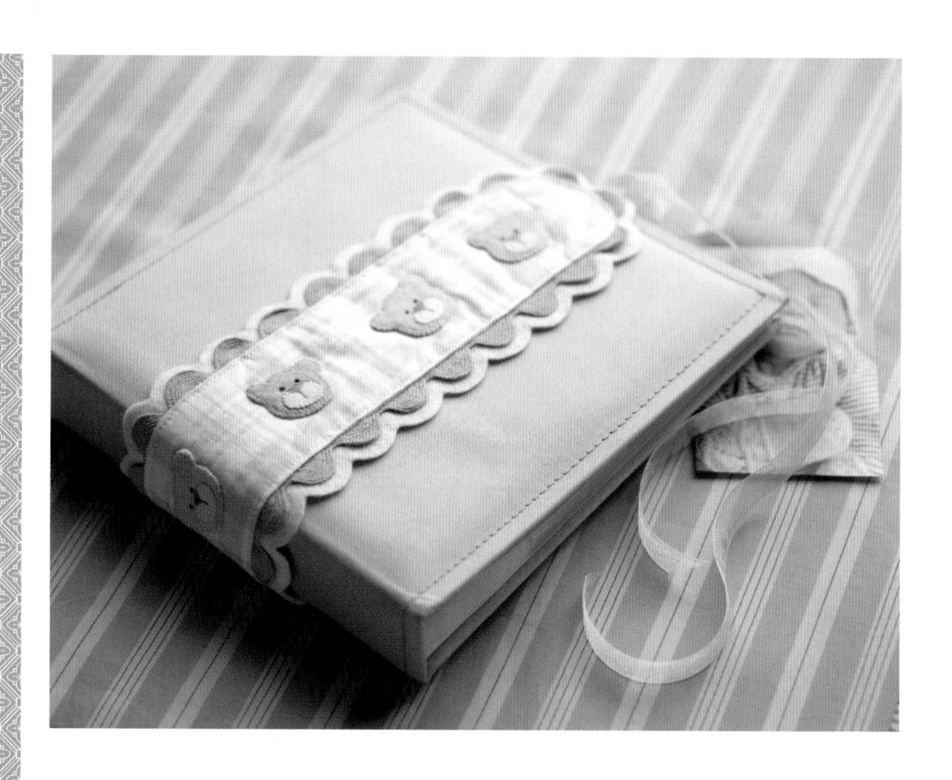

» Instrucciones

1 Primero, ver las plantillas que corresponden en la sección Plantillas. Cortar dos piezas de tela estampada lavanda, de 3" x 20" (7,6 x 50,8 cm) cada una. Redondear las esquinas siguiendo la forma de la plantilla. Poner derecho con derecho y hacer una costura alrededor; dejar una abertura en un borde recto para volver del derecho. Recortar las costuras, volver del derecho y planchar. Coser a mano la abertura.

2 Aplicar los ositos dibujando una cabeza y un hocico sobre el lado de papel del «Freezer paper». Pegar con la plancha el lado brillante sobre fieltro y recortar siete cabezas de osito en rosa, azul, verde y amarillo. Cortar siete hocicos de los tonos más claros, utilizando el crema para el osito verde. Pegar o prender las cabezas de osito a lo largo de la banda de tela lavanda, con una separación de 1½" (3,8 cm). Coser todas las aplicaciones con un punto por encima utilizando una hebra de hilo de bordar a tono.

3 Bordar los ositos con dos hebras de hilo de bordar marrón, haciendo la nariz a punto de satén y dando unas puntadas rectas en el hocico. Hacer unos puntos de nudo para los ojos con dos hebras de hilo negro.

4 Hilvanar el piquillo alrededor de la banda de tela. En los extremos, coser las puntas derecho con derecho y planchar la costura abierta para aplastarla. Prender esta banda sobre una pieza de fieltro lavanda de 5" x 22" (12,7 x 55,9 cm). Prender a cada extremo un trozo de cinta entre la tela y el fieltro. Hacer un pespunte a 1/8" (3 mm) del borde, todo alrededor, pillando la banda y el piquillo en la costura. Terminar recortando el fieltro a ¼" (6 mm) de los bordes del piquillo, siguiendo su contorno a ondas.

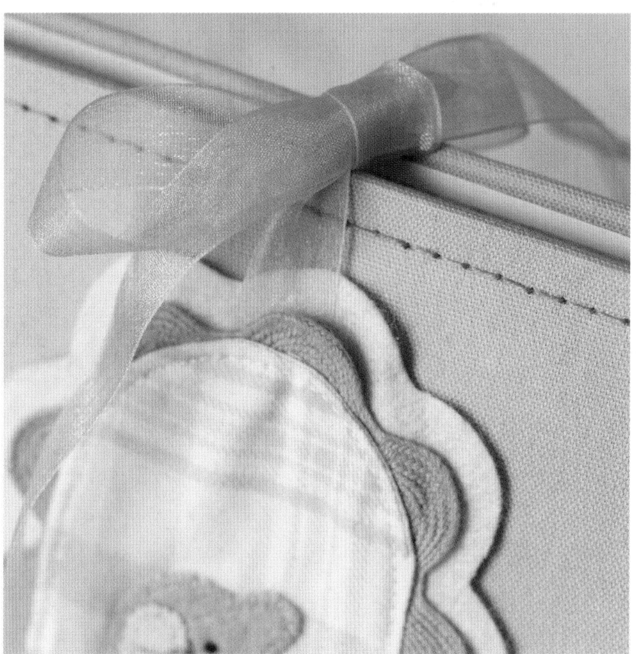

Tablero de recuerdos

Unos simpáticos ositos adornan este tablero fácil de hacer. Puede servir para exponer en la habitación del pequeño las fotografías que más gusten o para colocar en él notas y recordatorios de diario.

Se necesita

- Tela morada para el centro, 19" x 19" (48,3 x 48,3 cm)
- Tela estampada lavanda para el borde y las tiras cruzadas, ¾ de yarda (75 cm)
- Guata fina, 32" x 32" (81,3 x 81,3 cm) y 18" x 18" (45,7 x 45,7 cm)
- Fieltro de lana lavanda para la trasera, 24" x 24" (61 x 61 cm)
- Fieltro de lana verde claro para las aplicaciones de ositos, 6" x 6" (15,2 x 15,2 cm)
- Fieltro de lana para las aplicaciones de ositos en rosa claro, rosa, azul claro, azul, amarillo claro, amarillo y crema, 4" x 4" (10,2 x 10,2 cm) de cada
- Cinta de 1" (2,5 cm) de ancho x 2 yardas (2 m)
- Fliselina termoadhesiva y «Freezer paper»
- Cartón, 24" x 24" (61 x 61 cm)
- Plancha de corcho, 24" x 24" (61 x 61 cm) o cuatro cuadrados de 12" (30,5 cm)
- Pistola de pegamento caliente y pegamento
- Hilo de bordar mouliné DMC, 310 negro, 3863 marrón, 155 violeta, 581 verde, 3821 amarillo claro, 3348 verde claro, 152 rosa y 598 azul, más colores a tono con los fieltros

Tamaño terminado:
24" x 24" (61 x 61 cm)

» Instrucciones

1 Cortar el centro del tablero de tela morada de 18½" x 18½" (47 x 47 cm). Cortar las tiras de cruzar de este modo: dos tiras de 1¼" x 27" (3,2 x 68,6 cm); cuatro tiras de 1¼" x 16" (3,2 x 40,6 cm) y cuatro tiras de 1¼" x 6" (3,2 x 15,2 cm). Doblar hacia el revés 3/8" (1 cm) a lo largo de los dos bordes largos (uno de ellos montará ligeramente sobre el otro). Cortar unas tiras de ¼" (6 mm) de ancho de fliselina termoadhesiva y meterlas por debajo del doblez que monta para fijarlo por el revés y que no se levante cuando se pasen las fotos por debajo de las tiras.

» CONSEJO

Hilvanar las tiras para evitar que se levanten y estorben al bordar y hacer las aplicaciones. Retirar el hilván o pegamento cuando esté terminado el proyecto.

2 Colocar las tiras en diagonal sobre la tela del centro, poniendo las dos más largas de esquina a esquina. Las tiras de 16" (40,6 cm) se ponen a unas 5" (12,7 cm) del centro de los cuatro lados. Las tiras de 6" (15,2 cm) quedan a unas 5" (12,7 cm) de las cuatro últimas junto a las esquinas. Yo pegué las tiras donde se cruzan para mantenerlas en su sitio (si se prenden con alfileres se levantan demasiado). No poner mucho pegamento, solo un toque, porque encima de los cruces irán cabezas de osito que habrá que coser y bordar. Dejar secar.

3 Para los bordes, cortar bandas de 6" x 18½" (15,2 x 47 cm). Coserlas a ambos lados del centro y planchar las costuras abiertas. Cortar las piezas de arriba y de abajo de 6" x 29½" (15,2 x 75 cm). Coserlas y planchar las costuras abiertas. El borde es algo más ancho para poder doblar luego la tela hacia el dorso. Hilvanar las tiras a mano para sujetarlas provisionalmente (ver Consejo).

4 Dibujar las líneas de bordado del borde (ver las plantillas correspondientes en la sección Plantillas al final del libro). Hilvanar (o pegar con spray adhesivo) la pieza grande de guata por el dorso del proyecto.

5 Aplicar los ositos dibujando una o dos cabezas de osito y uno o dos hocicos en el lado de papel de un «Freezer paper». Pegar con la plancha el lado brillante sobre el fieltro y recortar doce cabezas de ositos de fieltro rosa, azul, verde y amarillo. Cortar doce hocicos de los tonos más claros de esos colores (utilizar el crema para el osito verde). Pegar o prender las cabezas en los cruces de las tiras. Cortar un osito grande en fieltro verde claro. Hacer el hocico y las patas con fieltro crema. Colocar el osito grande en la esquina inferior izquierda del tablero. Hacer un punto por encima alrededor de las aplicaciones con una hebra de hilo de bordar a tono.

6 Hacer los bordados como se indica en el recuadro de la derecha. Retirar los hilvanes cuando se haya terminado de bordar.

7 Poner la otra pieza de guata solo en el centro del proyecto para dejar el tablero mullido. Preparar el cartón forrándolo con el cuadrado de corcho de 24" (61 cm). Yo los pegué con pistola de pegamento caliente.

8 Centrar el diseño sobre el tablero. Conviene marcar con la plancha el doblez donde se vuelve el borde hacia el dorso (3"/7,6 cm todo alrededor). Empezando en las esquinas y con pistola de pegamento, estirar las esquinas hacia el dorso y pegarlas en su sitio. En cada una de ellas, comprobar por el frente que el diseño queda centrado. Pegar primero los laterales y después, arriba y abajo.

9 Cortar la cinta en dos tiras para hacer un asa de colgar, dejando por lo menos 5" (12,7 cm) para pegarla por el dorso y que quede fuerte. Poner las tiras a 4" (10,2 cm) de los laterales, en un ángulo que apunte ligeramente hacia el centro. Cortar una pieza de fieltro lavanda de 23½" x 23½" (59,7 x 59,7 cm) para la trasera. Pegarla en el dorso a ¼" (6 mm) de los bordes. Dejar secar. Atar las cintas en un lazo del largo que se prefiera, colgar el tablero y llenarlo de recuerdos.

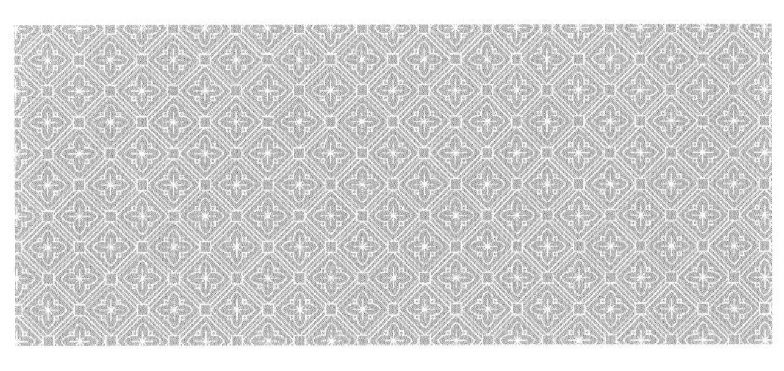

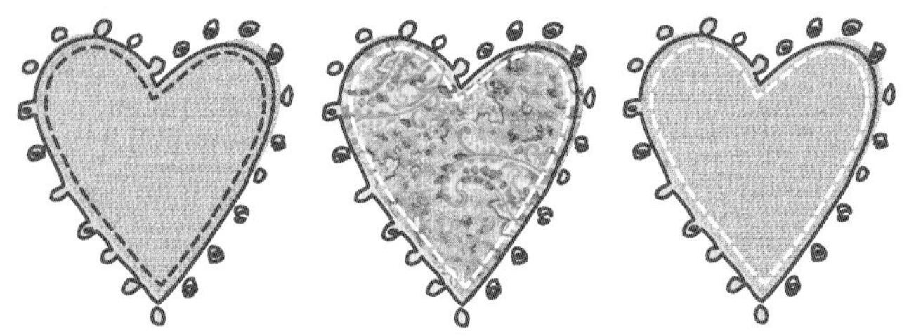

Bordado

- Bordar los ositos con dos hebras de hilo de bordar marrón, haciendo la nariz a punto de satén, y una línea de punto raso en el centro del hocico. Con dos hebras de hilo negro, hacer unos puntos de nudo para los ojos (1).
- Hacer el bordado del borde con tres hebras de hilo color violeta y una bastilla formando ondas. Hacer puntos de nudo con tres hebras de hilo rosa, verde claro, azul y amarillo claro (2).

Proyecto de 1 semana

Un álbum para presumir

Este álbum es perfecto para presumir mostrando las fotos del último miembro de la familia. Su diseño en acordeón permite exponer las fotos de forma permanente.

Se necesita

- Tela estampada lavanda claro para el álbum, ¾ de yarda (75 cm)
- Tela morada para los bordes y la tirilla de abrochar, ¼ de yarda (25 cm)
- Fieltro de lana verde claro para la aplicación del osito, 12" x 12" (30,5 x 30,5 cm)
- Fieltro de lana para las aplicaciones de cabezas de ositos, 6" x 6" (15,2 x 15,2 cm) en rosa claro, rosa, azul claro, azul, amarillo claro, amarillo y crema
- Cinta lavanda de ¼" (6 mm) de ancho x 3½ yardas (3,25 m)
- Seis piezas de cartón fino o de entretela gruesa para manualidades
- Peluche termoadhesivo, ½ yarda (50 cm)
- «Freezer paper»
- Cuatro botones de ¾" (2 cm)
- Hilo de bordar mouliné DMC, 155 violeta, 310 negro, 3863 marrón, 152 rosa, 598 azul, 3821 amarillo, 3348 verde claro y 581 verde, más colores a tono con los fieltros

Tamaño terminado:
6" x 8" (15,2 x 20,3 cm)

» Instrucciones

1 Empezar por hacer diez bloques de marco. Cortar las piezas de los centros de 3½" x 5½" (8,9 x 14 cm). En cada una, hacer una marca a 1¼" (3,2 cm) de cada esquina. Prender e hilvanar una tira de cinta de 3" (7,6 cm) cruzando cada esquina, de marca a marca.

» CONSEJO

Uno de los bloques del álbum se puede convertir en un marco sencillo para una foto especial. Se le pone detrás un cartón y un fieltro y se añade una presilla de cinta para colgarlo, como en el Tablero de recuerdos.

2 Añadir un borde a cada marco de estampado lavanda: cortar dos tiras de 1" x 5½" (2,5 x 14 cm), coserlas a los laterales y planchar las costuras abiertas. Cortar dos tiras de 1" x 4½" (2,5 x 11,3 cm) y coserlas arriba y abajo. Planchar las costuras abiertas.

3 Para el interior del álbum, cortar cinco tiras de unión de 2½" x 6½" (6,3 x 16,5 cm) de estampado lavanda claro. Utilizar las cinco tiras para unir los seis bloques de marco, alternativamente, empezando y terminando con un bloque de marco. Cortar dos extremos para cada lado de estampado lavanda claro, de 1½" x 6½" (3,8 x 16,5 cm). Coserlos a la derecha y a la izquierda a lo largo del borde de 6½" (16,5 cm). Cortar dos tiras de 1½" x 36½" (3,8 x 92,7 cm) y coserlas arriba y abajo. Planchar las costuras abiertas. El interior del libro es ahora una tira de 8½" x 36½" (21,6 x 92,7 cm).

4 Ver las plantillas que se correspondan en la sección Plantillas. Con el marcador que se prefiera, dibujar por dentro las líneas del lomo. A derecha e izquierda de cada borde lavanda dibujar una línea a ¾" (2 cm) de él, dejando un lomo de ½" (1,3 cm) en el centro, de arriba abajo. Dibujar las líneas de bordado en la pieza interior, marcando todas las ondas del borde y los puntos.

5 Poner por detrás de cada bloque de marco una pieza de peluche termoadhesivo de 5½" x 8" (14 x 20,3 cm). Centrarlo en el dorso de cada bloque de marco, dejando libre ½" (1,3 cm) de la zona del lomo y ¼" (6 mm) arriba y abajo.

6 Para el exterior, cortar tres tiras de unión de 2½" x 6½" (6,3 x 16,5 cm). Coser los cuatro bloques de marco restantes alternándolos, empezando y terminando por un bloque de marco. Cortar dos tiras para arriba y abajo de 1½" x 22½" (3,8 x 57,1 cm), coserlas y planchar las costuras abiertas. Cortar dos piezas para el frente y el dorso de 7½" x 8½" (19 x 21,6 cm) y coserlas a la derecha y a la izquierda por fuera, a lo largo de las 8½" (21,6 cm). La parte exterior mide ahora 8½" x 36½" (21,6 x 92,7 cm).

7 Dibujar las líneas del lomo en la pieza de fuera, como antes. Además, hacer una raya a ½" (1,3 cm) de la primera y de la última línea del lomo para marcar las piezas del frente y del dorso. Poner por detrás de la pieza de fuera una pieza de peluche termoadhesivo de 8" x 36" (20,3 x 91,4 cm). Centrarla en la tira terminada, a ¼" (6 mm) de los bordes.

8 Hacer los bordados como se describe en el recuadro de la página siguiente.

9 Para aplicar las cabezas de los ositos, dibujar primero dos cabezas y dos hocicos sobre el lado de papel del «Freezer paper». Pegarlo con la plancha por el lado brillante sobre el fieltro rosa, azul, verde y amarillo y recortar diez cabezas en total. Cortar diez hocicos de los tonos más claros de fieltro, utilizando el crema para el osito verde. Pegar o prender las cabezas en distintos sitios de cada bloque de marco, sin que monten sobre la zona del lomo. Para las cubiertas del libro, dibujar el osito grande sobre «Freezer paper» y recortar dos de fieltro verde. Aplicarlos en la cubierta y en la contracubierta. Dibujar un corazón sobre «Freezer paper» y recortar ocho de fieltro rosa y pegarlos o prenderlos en su sitio. Hacer un punto por encima alrededor de todas las aplicaciones, con una hebra de hilo de bordar a tono. Bordar los ositos como se describe en el recuadro.

10 Montar el libro de este modo: coser a mano los botones, dos en el frente y dos en el dorso, donde se indica en la plantilla. Poniendo derecho con derecho, coser la parte de fuera del libro con la de dentro, asegurándose de no pillar en la costura las cabezas de los ositos, y cosiendo solamente los laterales y la parte de arriba, dejando la de abajo sin coser. Dar cortes en las esquinas, volver del derecho y planchar. Remeter ¼" (6 mm) de los bordes de abajo, planchar y prenderlos para sujetarlos. Hacer un punto de dobladillo en la zona del lomo solamente a lo largo del borde inferior para cerrarla. Hacer un pespunte a máquina atravesando todas las capas siguiendo las líneas del lomo. Meter las piezas de cartón fino (o la entretela gruesa) por las aberturas, cortando las piezas de 7¾" x 5¼" (19,7 x 13,3 cm) o del tamaño que se requiera. Coser las aberturas a punto de dobladillo.

11 Para las tirillas de abrochar, cortar cuatro tiras de tela lavanda de 4½" x 1¾" (36,8 x 4,4 cm). Poner las piezas de dos en dos derecho con derecho y dibujar la forma de la tirilla por el revés. Hacer una costura alrededor dejando una pequeña abertura en el borde largo para darles la vuelta. Recortar las costuras y volver las tirillas del derecho. Coser las aberturas a punto de dobladillo. Hacer un ojal a cada extremo de las tirillas. Estas tirillas sirven además para mantener el álbum cerrado.

›› Bordado

- Con dos hebras de hilo de bordar, hacer la bastilla a ondas en color violeta. Hacer puntos de nudo con dos hebras de azul, de verde, de amarillo y de rosa, para los puntos por dentro de las ondas (1).
- Con dos hebras de hilo marrón, bordar a punto de satén la nariz de los ositos pequeños y hacer a punto raso el hocico. Con dos hebras de negro, hacer los ojos a punto de nudo (1).
- Para los ositos grandes, utilizar tres hebras de hilo verde oscuro para bordar las garras y hacer la bastilla que recorre la tripa (2).

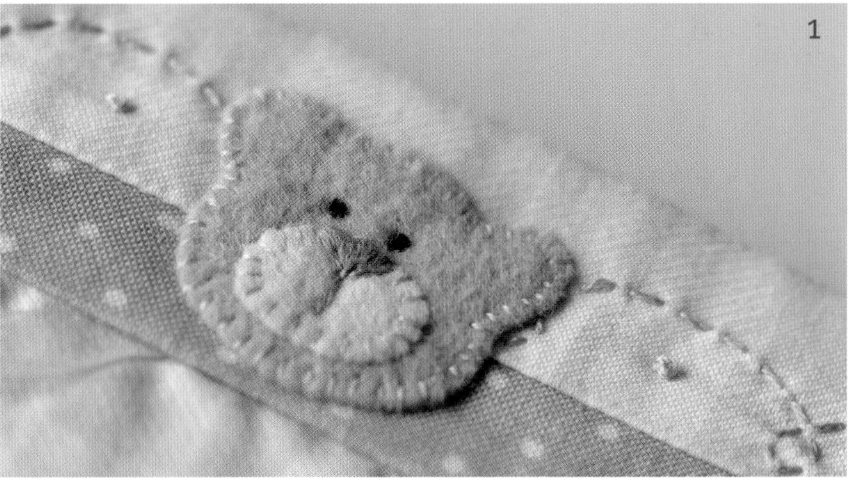
1

2

A casa de la abuela

Cuando los pequeños se han hecho algo mayores y pueden quedarse a dormir en casa de la abuela, es todo un acontecimiento, y con los preciosos proyectos de este libro el traslado resulta fácil. La hora del baño en casa de la abuela es estupenda con una toalla suavecita con capucha adornada con un gracioso conejito de peluche. Por si el pequeño echa de menos a su mamá, un juguete ultrasuave le hará compañía. Está confeccionado con peluche mullido y lleva un conejito muy dulce. Todo lo necesario para su estancia cabe en una gran bolsa y esta no solamente tiene ocho prácticos bolsillos, sino que también está decorada con aplicaciones de una encantadora casita y de alegres conejitos saltarines.

Las protagonistas de este capítulo son las telas crema y verde pálido, además de divertidos conejitos y muchos corazones y flores en fáciles aplicaciones de fieltro. También se proponen unos bonitos bordados a mano.

Proyecto de 3 horas

Toalla de baño con conejito

Esta toalla queda preciosa una vez terminada, sobre todo cuando envuelve a un bebé recién salido del baño. La plantilla de conejito también sirve para un juego de cuna.

Se necesita

- Felpa verde claro, 1¼ yardas (1,25 m)
- Tela estampada verde para la pieza del campo, 4" x 13" (10,2 x 33 cm)
- Peluche blanco para el conejito, 6" x 9" (15,2 x 22,9 cm)
- Entretela termoadhesiva, 6" x 9" (15,2 x 22,9 cm)
- Tela estampada verde para ribetear, ⅓ de yarda (30 cm)
- Hilo de bordar mouliné DMC, 310 negro

Tamaño terminado:
30" x 30" (76,2 x 76,2 cm)

Instrucciones

1 Ver las plantillas que se correspondan en la sección Plantillas. Cortar un cuadrado de felpa de 30" (76,2 cm) para la toalla. Con la plantilla, redondear las cuatro esquinas. Cortar un cuadrado de 11½" (29,2 cm) de felpa y cortarlo en diagonal para obtener dos triángulos. Solo se utiliza un triángulo, que es la capucha. Redondear también la esquina.

2 Cortar para el campo una pieza de tela verde. Cortarla ¼" (6 mm) mayor por arriba si se va a hacer la aplicación con el borde remetido. Si se utiliza fliselina termoadhesiva, se corta según el tamaño indicado. Aplicar la pieza del campo sobre la capucha de la toalla, casando el borde inferior del campo con el borde largo de la capucha. Yo recomiendo hacer un zigzag para coser si se pega con fliselina, para que soporte mejor los lavados.

3 Antes de cortar la figura del conejito para aplicarla, poner entretela termoadhesiva por detrás del peluche para que no ceda el tejido. Recortar la figura del conejito, añadiendo ¼" (6 mm) para remeter el borde o al tamaño indicado si se pega con fliselina. Con tres hebras de hilo negro, hacer un punto de nudo para el ojo donde se indica. Coser la aplicación en su sitio, haciendo un zigzag si va pegada (ver Consejo más abajo).

4 Ribetear el canto de la capucha por el borde largo recto. Cortar una tira para el ribete de 2½" x 19" (6,3 x 48,3 cm). Doblarla por la mitad a lo largo, revés con revés. Casar los cantos del ribete con el canto de la capucha (el borde recto del campo). Hacer una costura a ¼" (6 mm) del borde. Volver el doblez del ribete hacia el revés y coserlo a punto de dobladillo en su sitio.

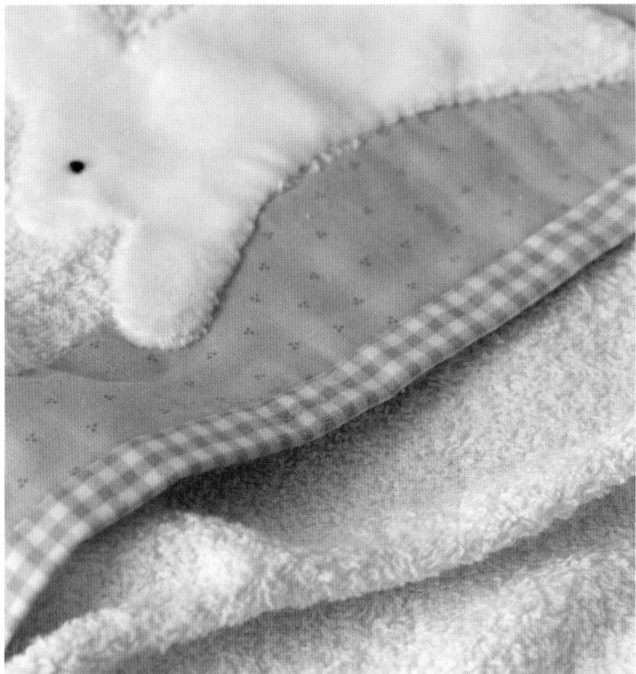

5 Prender la capucha en una esquina de la pieza de felpa grande, casando las esquinas redondeadas, e hilvanarla. Cortar tres tiras de ribete de 2½" (6,3 cm) por el ancho de la tela. Ribetear la toalla siguiendo las indicaciones de Ribetear un quilt. Embeber el ribete en las esquinas con pliegues pequeñitos.

» CONSEJO

Se puede utilizar fliselina termoadhesiva para las aplicaciones. En una labor que vaya a soportar muchos lavados, se afianzan los bordes sin rematar con un zigzag muy junto hecho con hilo a tono. De este modo queda segura la aplicación y se deshila menos con los lavados.

Conejito quitapenas

Esta manta de peluche muy suave, con su pequeño conejito, es mullida y blanda y se convertirá en el juguete preferido de cualquier pequeño.

Se necesita

- Peluche suave (minkee) blanco, ¾ de yarda (75 cm)
- Tela verde para la trasera, ½ yarda (50 cm)
- Raso crudo para ribetear, ⅓ de yarda (30 cm)
- Raso crudo para las orejas del conejito, 6" x 6" (15,2 x 15,2 cm)
- Retal de fieltro de lana rosa para el hocico
- Tela verde para los corazones aplicados, 4" x 6" (10,2 x 15,2 cm)
- Entretela termoadhesiva, ½ yarda (50 cm)
- «Freezer paper»
- Retal de tela de 5" x 5" (12,7 x 12,7 cm)
- Relleno para muñecos
- Pinzas para volver del derecho y rellenar
- Hilo de bordar mouliné DMC, 310 negro, 224 rosa, 581 verde y blanco

Tamaño terminado:
19" x 19" (48,3 x 48,3 cm)

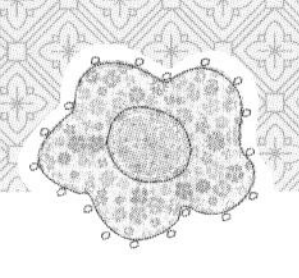

» Instrucciones

1 Ver las plantillas correspondientes en la sección Plantillas al final del libro. Empezar por cortar el top de la mantita de peluche blanco de 18" x 18" (45,7 x 45,7 cm). Ponerle por el dorso entretela de igual tamaño para que no ceda el peluche.

2 Cortar ocho corazones de tela verde. Cortarlos con un margen de ¼" (6 mm) si se van a coser remetiendo el borde. Si se utiliza fliselina termoadhesiva, se cortan sobre la plantilla. Aplicar un corazón en cada esquina y en el centro de cada lado, a 1½" (3,8 cm) del borde. Si se pegan, recomiendo reforzarlos con una costura en zigzag cosida con un hilo a tono. Con dos hebras de hilo de bordar verde, hacer una bastilla bordeando los corazones por dentro.

3 Cortar la tela para la trasera de 18½" x 18½" (47 x 47 cm). Hallar el centro de las piezas del top y de la trasera y marcarlo con un punto. Dibujar un círculo de 2" (5 cm) de diámetro con el marcador que se prefiera. Hilvanar las dos piezas y hacer una bastilla con tres hebras de hilo de bordar blanco, atravesando las dos capas para unirlas acolchándolas.

4 Ribetear la mantita con tiras de raso crudo cortado de 6" (15,2 cm) de ancho. Hacer una raya a ¾" (2 cm) de cada uno de los cuatro bordes de la mantita, casar los cantos de las tiras con esas rayas y coserlas. Cortar solamente las esquinas. Volver las tiras hacia el dorso y coserlas a punto de dobladillo.

5 Con las plantillas, dibujar las piezas de la cabeza y de los brazos del conejito sobre «Freezer paper». Dibujar la línea continua, que es la de corte. Marcar las figuras planchando el «Freezer paper» sobre el peluche y recortarlas. Colocar todas las piezas sobre el peluche con las flechas en la misma dirección (o pelo) del tejido. Volver el tejido del otro lado y colocar las piezas para obtener figuras simétricas si la tela tiene revés y derecho. Cortar dos piezas de la cara, dos de la cabeza, cuatro brazos y dos orejas. Cortar dos orejas de raso crudo algo mayores que el tamaño indicado. Conviene hacerlo porque el raso se escurre al coserlo.

6 Poniendo derecho con derecho, coser las piezas de la cara desde lo alto de la cabeza hasta el cuello. Coser las piezas de la cabeza por la línea recta, como se indica. Coser los dos brazos. Coser una oreja de peluche con una de raso, poniéndolas derecho con derecho. Dejar en todas partes un margen de costura de ¼" (6 mm). Yo no recorté las costuras. Volver las orejas y los brazos del derecho, ayudándose de unas pinzas. Rellenar los brazos sin apretar, con bolas de relleno y utilizando las pinzas para meterlo (no mucho, porque los brazos tienen que quedar blandos).

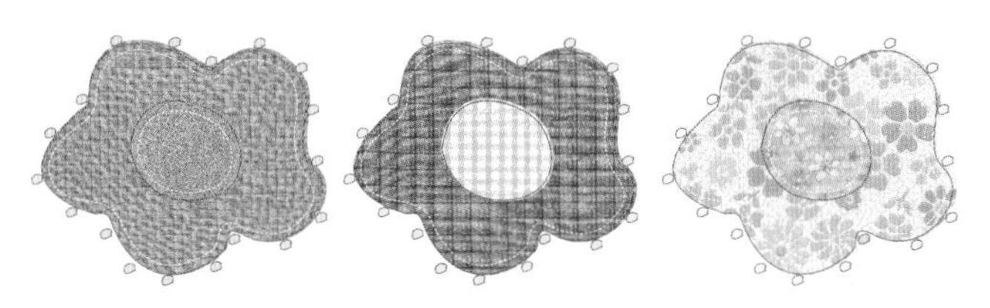

7 Pellizcar las orejas por la mitad haciendo un pequeño pliegue en el raso. Dar unas cuantas puntadas para sujetar el pliegue, a ¼" (6 mm) del borde inferior. Abrir la pieza de la cabeza y prender las orejas en su sitio a ½" (1,3 cm) de la costura central, con el lado de raso hacia la cara. Abrir la pieza de la cabeza. Poniendo derecho con derecho, casar la costura central de la cabeza con la costura central de la cara y prender. Casar los bordes del cuello y prenderlos. Hacer una costura a ¼" (6 mm) desde un borde del cuello hasta otro. Volver del derecho.

8 Dibujar la figura de la nariz sobre «Freezer paper» y plancharla sobre un cuadrado de 1" (2,5 cm) de fieltro rosa. Recortar por la línea continua. Con un poquito de pegamento, pegar la nariz en su sitio. Dejar secar y bordar a punto por encima muy junto con una hebra de hilo de bordar rosa. Con tres hebras de hilo a tono, hacer un punto raso desde debajo de la nariz, sobre la costura, hasta ½" (1,3 cm) y luego bordar una V abierta al final de esa puntada. Con seis hebras de hilo de bordar negro, hacer un punto de nudo para cada ojo. Yo recorté un trocito de tela y lo puse por detrás de los ojos para que el punto de nudo quedara más firme que si se hiciera solo sobre el peluche.

9 Rellenar la cabeza lo suficiente para que mantenga la forma. Con un cuadrado de tela de 3" (7,6 cm), cerrar la abertura del cuello, remetiendo los cantos de la tela por dentro de la cabeza. Coserlo a mano para que no se salga el relleno. Coser a mano los brazos en su sitio, de modo que sobresalgan por debajo del borde del cuello y miren hacia el frente.

10 Prender la cabeza en su sitio encima del disco acolchado. Con dos hebras largas de hilo de bordar, coser a mano el conejito sobre la manta, atravesando solamente el peluche. Yo hice varias vueltas de costura para reforzar la cabeza y los brazos.

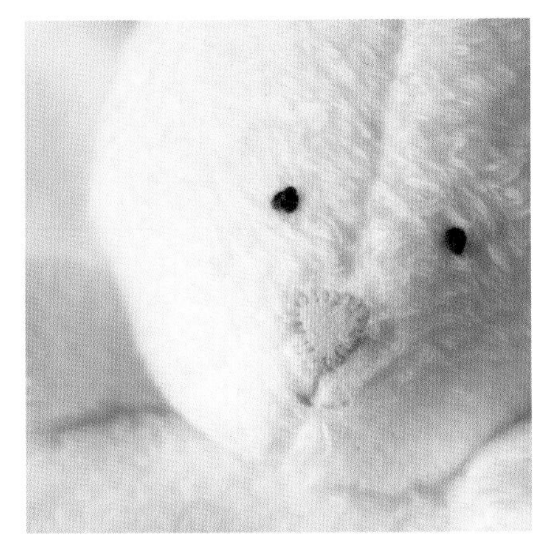

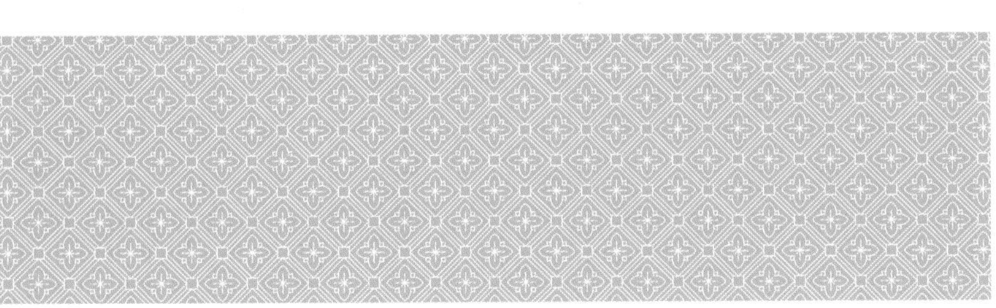

Bolsa con casita

Quedarse a dormir en casa de la abuela es muy divertido con esta bolsa tan bonita. El frente y el dorso están decorados con una simpática escena de casita, y también lleva unos grandes bolsillos exteriores e interiores para que quepa todo.

Se necesita

- Dos telas verdes estampadas para el exterior y los bolsillos interiores de la bolsa, ½ yarda (50 cm) de cada
- Tela verde claro para los bolsillos exteriores, ½ yarda (50 cm)
- Tela estampada verde para el fondo de la bolsa y la aplicación del campo, ¼ de yarda (25 cm)
- Tela verde de contraste para el forro, ½ yarda (50 cm)
- Fieltro de lana blanco, tostado, azul claro y amarillo para las aplicaciones, 10" x 10" (25,4 x 25,4 cm) de cada
- Telas en azul, rosa, lavanda y crudo para las aplicaciones, 6" x 6" (15,2 x 15,2 cm) de cada
- Entretela termoadhesiva de grosor medio y peluche termoadhesivo, ½ yarda (50 cm) de cada
- Fliselina termoadhesiva y «Freezer paper»
- Cinta de piquillo blanca de ⅝" (1,6 cm) de ancho x 2½ yardas (2,3 m)
- Cartón y guata para el fondo de la bolsa (optativo), 5" x 14" (12,7 x 35,6 cm) de cada
- Hilo de bordar mouliné DMC, 310 negro, 167 tostado, 224 rosa, 581 verde y 3821 amarillo, más colores a tono con las telas y fieltros

Tamaño terminado:
13½" x 12" x 4½" de fondo (34,3 x 30,5 x 11,4 cm) sin asas

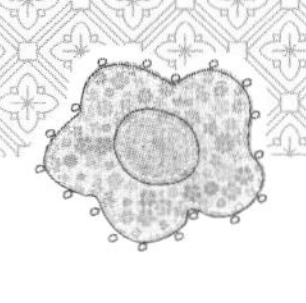

» Instrucciones

1 Ver las plantillas correspondientes en la sección Plantillas al final del libro. Empezar por cortar y preparar todas las piezas exteriores de la bolsa.
Cortar dos piezas de estampado verde para el exterior de 14" x 12½" (35,6 x 31,7 cm), para el frente y el dorso.
Cortar dos piezas de estampado verde para el exterior de 5" x 12½" (12,7 x 31,7 cm), para los costados.
Cortar una pieza de estampado verde de 5" x 14" (12,7 x 35,6 cm), para la base.
Poner por detrás de estas piezas un peluche adhesivo cortado ½" (1,3 cm) más pequeño que aquellas. Pegar con la plancha el peluche por el dorso de las piezas, dejando un margen de ¼" (6 mm) todo alrededor para las costuras.

2 Preparar los bolsillos de este modo: de tela verde claro, cortar cuatro bolsillos grandes de 14" x 9¾" (35,6 x 24,8 cm). Cortar dos bolsillos laterales de 5" x 8½" (12,7 x 21,6 cm). Con las plantillas, cortar en curva los bordes de arriba de estas piezas. La línea continua es la de costura y la discontinua, la de corte. Poner por detrás de estas piezas una entretela termoadhesiva cortada ½" (1,3 cm) más pequeña que el tamaño indicado. Pegar con la plancha la entretela, dejando alrededor un margen de ¼" (6 mm) para las costuras.

3 Preparar el forro de la bolsa cortando dos piezas de tela verde que haga contraste, de 14" x 12½" (35,6 x 31,7 cm). Cortar dos piezas para los costados de 5" x 12½" (12,7 x 31,7 cm).

4 Preparar los bolsillos interiores cortando dos piezas de tela verde de 14" x 20" (35,6 x 50,8 cm). Cortar dos piezas para los bolsillos laterales de 5" x 20" (12,7 x 50,8 cm). Doblar por la mitad revés con revés por el largo de 20" (50,8 cm) y planchar. Estos bolsillos largos deben quedar de 14" x 10" (35,6 x 25,4 cm), y los bolsillos laterales de 5" x 10" (12,7 x 25,4 cm). Cortar una pieza para el fondo de 5" x 14" (12,7 x 35,6 cm). Reservar de momento las piezas de forro y de los bolsillos interiores.

5 Hacer la aplicación de los bolsillos del frente, utilizando las partes 1 y 2 de la plantilla para dibujar la casita, el tejado, la nube, los centros de las flores y el conejito sobre el lado de papel del «Freezer paper». Pegar con la plancha el lado brillante sobre el fieltro del color que corresponda. Cortar dos casitas de color tostado, dos tejados de azul, dos nubes de blanco, nueve conejitos de blanco y ocho centros de flor de amarillo.

6 Dibujar dos figuras grandes y dos pequeñas de campo, ocho flores, cuatro ventanas, dos puertas y dos corazones sobre fliselina termoadhesiva. Pegar con la plancha por el revés de las telas del color que corresponda y cortar dos piezas grandes y dos pequeñas de campo, dos puertas azules, cuatro ventanas crudo, dos flores rosa, dos azules y dos corazones rosa. Dibujar los motivos de bordado sobre las piezas de aplicación y los bolsillos.

7 Pegar con la plancha las piezas de campo sobre los bolsillos, casando los bordes rectos con los cantos del bolsillo en los laterales y abajo, para que los bordes queden cogidos luego en las costuras.

8 Pegar o prender las casitas y los tejados de fieltro en su sitio. Pegar o prender las nubes y los conejitos en su sitio sobre los bolsillos. Pegar con la plancha todas las aplicaciones en su sitio y pegar o prender los centros de flores de fieltro amarillo encima de las flores.

9 Pegar o prender los conejitos en los frentes y costados preparados: tres en cada frente y dorso, uno en cada costado. Coser todas las piezas a punto por encima con una hebra de hilo de bordar a tono. Hacer los bordados como se indica en el recuadro.

10 Hacer el forro de los bolsillos poniendo los forros derecho con derecho y cosiendo solamente por el borde en curva. Recortar y dar cortes en las curvas y planchar luego el forro con el interior, casando los cantos de los lados y de abajo. Recortar si fuera necesario.

>> Bordado

- Con tres hebras de hilo de bordar negro hacer puntos de nudo para los ojos de los conejitos. Con tres hebras de hilo verde, bordar los tallos y pámpanos de las flores a pespunte y hacer las hojas a punto de margarita. Con dos hebras de hilo rosa hacer puntos de nudo para las flores del collar de los conejitos (1).
- Con tres hebras de hilo tostado, bordar a pespunte las divisiones y los bordes de las ventanas. Con ese mismo hilo, hacer el pomo de la puerta a punto de nudo (2).
- Con tres hebras de hilo rosa, hacer a punto de margarita los pétalos de las flores entre los conejitos de las piezas exteriores y en las flores de las puertas. Con tres hebras de hilo amarillo, hacer a punto de nudo el centro de las flores rosa bordadas (3).
- Con dos hebras de hilo verde, hacer a pespunte los tallos de las flores de la puerta y del collar de los conejitos. Hacer todas las hojas a punto de margarita (3).
- Con tres hebras de hilo rosa, hacer puntos de nudo alrededor de los corazones (4).

11 Cortar dos tiras de 16" (40,6 cm) de cinta de piquillo para los frentes de los bolsillos y dos tiras de 6" (15,2 cm) para los bolsillos de los costados. Prenderlas siguiendo la curva de arriba. Hilvanar solamente la pieza del frente para sujetarla. Hacer el bordado solamente en la pieza del frente, levantando el forro de debajo mientras se cose. Con dos hebras de hilo de bordar rosa, hacer un punto de nudo en cada pico, y con dos hebras de hilo verde, hacer las hojas a punto de margarita.

12 Prender los bolsillos correspondientes terminados encima del forro del frente, del dorso y de los costados, casando los cantos de los lados y de abajo. Recortar para igualarlos si hiciera falta.

13 Poniendo derecho con derecho, coser los costados con el frente empezando arriba y terminando a ¼" (6 mm) del borde inferior (ver fig. 1A). Después coser el fondo con el frente, empezando y terminando la costura a ¼" (6 mm) de cada lado (fig. 1B). Planchar las costuras abiertas. Coser ahora el otro frente con el fondo, empezando y terminando la costura a ¼" (6 mm) de los lados (fig. 1C). Coser el otro frente con los costados, deteniendo la costura a ¼" (6 mm) de la parte inferior. Planchar todas las costuras abiertas. Poniendo derecho con derecho, coser la abertura del fondo y de los lados (fig. 1D). Planchar por el exterior de la bolsa.

Fig. 1A

Fig. 1B

Fig. 1C

Fig. 1D

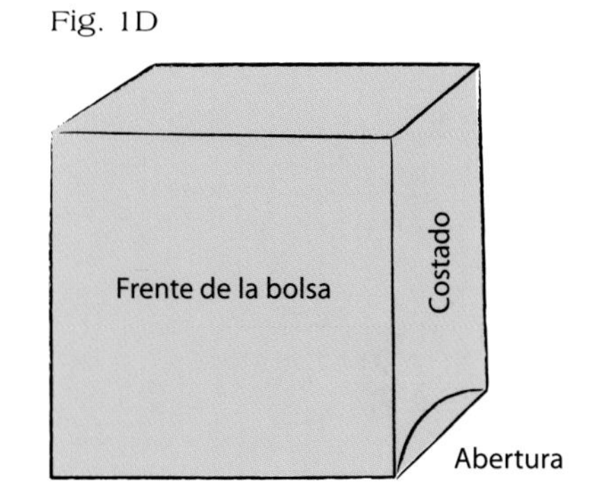

14 Para las asas, cortar dos tiras de tela verde del exterior, de 3¼" x 22" (8,3 x 55,9 cm). Doblar hacia el revés y planchar ¼" (6 mm) por los dos bordes largos y doblar y planchar por la mitad. Deben quedar ahora las tiras de 1³/₈" x 22" (3,5 x 55,9 cm). Cortar dos tiras de peluche termoadhesivo de 1¼" x 22" (3,2 x 55,9 cm). Abrir las asas y pegar el peluche con la plancha por dentro del dobladillo de ¼" (6 mm). Prender las asas en su sitio, a 2" (5 cm) de cada costura lateral, sobre el frente de la bolsa. Comprobar que las asas sobresalen por lo menos ½" (1,3 cm) del borde superior y que no quedan retorcidas. Hilvanarlas (pegarlas) en su sitio.

15 Hilvanar el piquillo en la parte de arriba de la bolsa, casando los cantos. Solapar los extremos y dejar que sobresalgan para pillarlos luego en la costura.

16 Para el forro, colocar los bolsillos interiores sobre las piezas de forro correspondientes, casando los lados y los bordes inferiores. Recortarlos si hiciera falta para igualarlos y luego prenderlos e hilvanarlos. Marcar la división del bolsillo grande a 7" (17,8 cm), para formar dos bolsillos de 7" (17,8 cm) de ancho. Coser el bolsillo con la pieza del forro empezando arriba del bolsillo hasta el borde inferior. Coser solamente un lado con el forro, dejando una abertura de 6" (15,2 cm) entre el bolsillo y el borde inferior, que servirá para volver del derecho.

17 Coser las piezas del forro con los bolsillos de la misma manera que en el paso 13 (dejando el espacio solamente a un lado). Colocando el frente de la bolsa con el derecho hacia fuera y el forro con el revés hacia fuera, meter la bolsa dentro del forro. Casar los bordes de arriba y prenderlos. Hacer un pespunte a máquina alrededor, con unas puntadas hacia atrás en las asas para reforzar. Recortar las costuras, pero no las asas, dejándolas más largas. Por la abertura de la izquierda a un lado, tirar del bolso para volverlo del derecho. Planchar los bordes de arriba hacia dentro. Coser a mano la abertura lateral. Para terminar, hacer un pespunte a ¼" (6 mm) del borde de arriba.

18 Para que el fondo quede rígido, cortar un cartón de 4¼" x 13¼" (10,8 x 33,6 cm). Pegar una pieza de guata de igual tamaño sobre el cartón. Cortar una pieza de tela verde de 4⁷/₈" x 13⁷/₈" (12,4 x 35,2 cm). Poniendo derecho con derecho, coser un lado corto, un lado largo y un lado corto, dejando abierto un lado largo. Volver del derecho y planchar doblando el borde de costura hacia dentro en el lado abierto. Meter el cartón, coser la abertura a mano y meter dentro de la bolsa, con el lado de guata hacia arriba.

Juegos

Con niños pequeños en casa, siempre es hora de jugar. Afortunadamente, los niños se entretienen y son felices con las cosas más sencillas. Los proyectos de este libro son precisamente entretenidos y por eso resultan un buen regalo. Un juego de bloques blandos en los que se aplican unas figuras geométricas son fáciles de hacer y perfectos para que el bebé juegue con ellos. Nunca es pronto para iniciar al niño en el placer de la lectura y un libro de tela con seis encantadoras escenas de granja es muy divertido de mirar y hojear. Un quilt alfombra hecho con telas de distintas texturas, desde el suave raso hasta la chenilla mullida, es una agradable base de juegos.

Los colores de este capítulo son tonos pastel y las telas destacan por su textura, estupendas para que las manitas se agarren a ellas y exploren. El uso de figuras geométricas simples convierte los proyectos en objetos educativos; los animales de la granja se pueden emplear también en otras labores.

Bloques de construcción

Estos bloques son perfectos para que juegue un bebé. Le ayudarán además a aprender las formas. Utilicé seis texturas diferentes y seis colores distintos. Las texturas pueden incluir algodón estampado, chenilla, peluche, raso y fieltro de lana.

Se necesita

Para un bloque

- Seis colores y texturas, 6" x 6" (15,2 x 15,2 cm) de cada
- Seis colores para las figuras de aplicación, 4" x 4" (10,2 x 10,2 cm) de cada
- Entretela termoadhesiva de grosor medio, ¼ de yarda (25 cm)
- «Freezer paper»
- Entretela fuerte para manualidades (Peltex) termoadhesiva por una cara, ¼ de yarda (25 cm), o la misma cantidad de fliselina termoadhesiva
- Pegamento para manualidades
- Relleno para muñecos
- Hilo de bordar mouliné a tono con los tejidos

Tamaño terminado:
Cubo de 4" (10,2 cm)

» CONSEJO

Lavar todos los tejidos antes de utilizarlos. Aclarar los fieltros en agua templada para que encojan y para eliminar los tintes. Dejarlos secar al aire antes de utilizarlos. Si hay que lavar los cubos terminados, se hace a mano y se dejan secar al aire. Se puede emplear cartulina en lugar de la entretela fuerte, pero no es lavable.

» Instrucciones

1 Cortar seis cuadrados de 4½" x 4½" (11,4 x 11,4 cm). Poner por el dorso de los cuadrados una entretela (ver Consejo a la derecha). Coser derecho con derecho los cuadrados 1, 2 y 3 en fila, con costuras de ¼" (6 mm) que se planchan abiertas. Siguiendo la fig. 1, coser el cuadrado 4 con el 5, empezando a ¼" (6 mm) de arriba. Coser el cuadrado 6 con el conjunto 4/5, empezando a ¼" (6 mm) de arriba. Coser el conjunto 1/2/3 con el conjunto 4/5/6, cosiendo el cuadrado 3 con el 5, empezando y terminando a ¼" (6 mm) de los bordes (fig. 2).

» CONSEJO

Antes de coser los bloques, puse una entretela termoadhesiva de grosor mediano por detrás de ellos. La entretela estabiliza las telas finas e impide que las elásticas (como el peluche) den de sí al coserlas. También la utilicé para dar mayor estabilidad a las telas elásticas de las aplicaciones.

Fig. 1

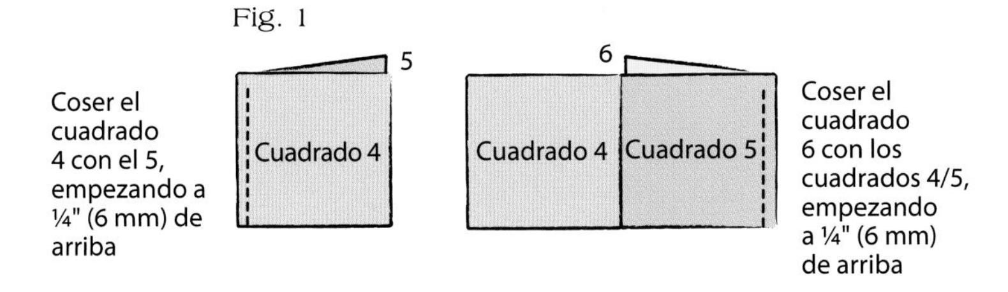

Fig. 2

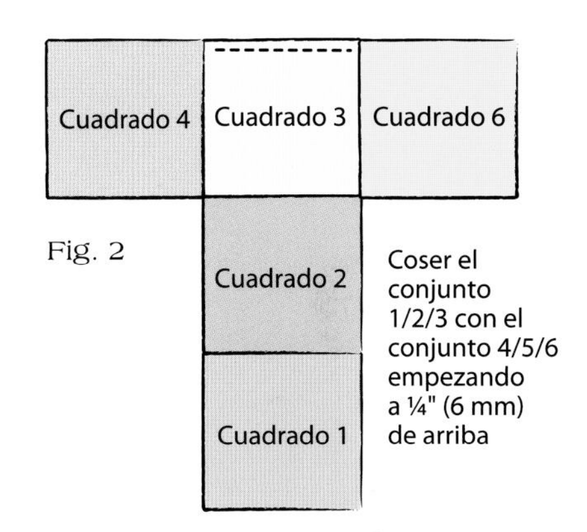

2 Ver las plantillas correspondientes en la sección Plantillas al final del libro. Para las aplicaciones de tela, cortar las figuras ¼" (6 mm) mayores que las plantillas, para remeter las costuras. Si se utiliza fieltro, las aplicaciones se cortan al tamaño indicado. Recortar las figuras utilizando «Freezer paper» y dibujando la línea continua. Pegar o prender las aplicaciones en su sitio y coserlas luego a mano haciendo un nudo fuerte y puntadas muy juntas para reforzar las costuras. Yo empleé los discos pequeños, triángulos, cuadrados y corazones de las plantillas del Quilt alfombra blandita. Planchar todos los bordes doblados hacia el revés ¼" (6 mm). La disposición final deberá ser parecida a la de la fig. 3.

Fig. 3

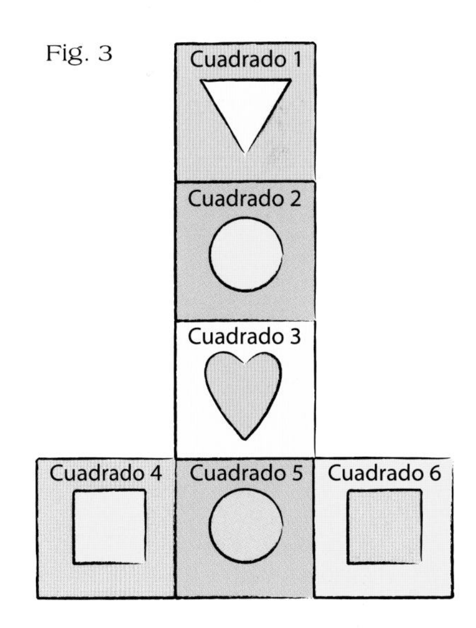

3 Cortar seis cuadrados de 3⅝" x 3⅝" (9,2 x 9,2 cm) de entretela fuerte para manualidades o de Peltex. Ponerle por detrás una fliselina termoadhesiva si fuera necesario. Cortarlas ligeramente más pequeñas para dejar los bordes libres para coser. Yo puse un poco de pegamento por el revés de cada cuadrado para reforzarlo. Pegar con la plancha el revés de cada cuadrado sobre los bordes doblados hacia el revés, dejando un pequeño borde libre alrededor de cada uno de ellos.

4 Doblar la figura en forma de dado. Con una aguja, anclar una hebra en las esquinas para mantenerlas fijas mientras se cose. Dejar un cuadrado sin coser, como una tapa, para rellenar. Coser a mano los bordes uno con otro. Rellenar el bloque lo suficiente para que no se deforme. Coser a mano el resto del cuadrado para terminar.

Proyecto de 2 días

Libro de cuentos

Este libro blandito es una forma muy atractiva de iniciar al niño en el placer de los cuentos y de la lectura. Basta con imaginar una pequeña historia en torno a las seis deliciosas escenas de granja que se han creado para este proyecto.

Se necesita

- Tela azul estampada para las "páginas" del libro, ½ yarda (50 cm)
- Tela verde para las aplicaciones del campo, ¼ de yarda (25 cm)
- Tela estampada amarilla para el lomo del libro, 4" x 7" (10,2 x 17,8 cm)
- Entretela termoadhesiva de grosor medio, ½ yarda (50 cm)
- Fieltro de lana tostado claro y blanco para las aplicaciones, 10" x 10" (25,4 x 25,4 cm) de cada
- Fieltro de lana crudo, amarillo claro, amarillo, dorado, tostado oscuro y negro para las aplicaciones, 6" x 6" (15,2 x 15,2 cm) de cada
- Fieltro de lana rojo para las aplicaciones, 2" x 2" (5 x 5 cm)
- Fliselina termoadhesiva y «Freezer paper»
- Peluche termoadhesivo, 6" x 18" (15,2 x 45,7 cm)
- Hilo de bordar mouliné DMC, 167 tostado, 310 negro, 581 verde, 739 tostado claro, 3042 lavanda, 3761 azul, 3821 amarillo claro, 3830 rojo, 3852 amarillo y blanco, más colores a tono con los fieltros

Tamaño terminado:
5½" x 6½" (14 x 16,5 cm)

» Instrucciones

1 Ver las plantillas correspondientes en la sección Plantillas al final del libro. Dibujar seis páginas del libro en tela azul estampada, con rotulador para tela o lápiz, siguiendo la línea continua de la plantilla. Ponerle por detrás entretela termoadhesiva para estabilizarla. Cortar las páginas por la línea continua si se desea hacer el libro hoja a hoja (la plantilla incluye un margen de costura de ¼" (6 mm).

2 Dibujar seis piezas de campo sobre fliselina termoadhesiva y pegar esta sobre el revés de la tela verde. Recortar las piezas que corresponden al campo por la línea continua. Pegar con la plancha una pieza de campo en cada página, casando la parte de abajo y dejando ¼" (6 mm) junto al lomo. Dibujar en las páginas los motivos del bordado de la plantilla.

Bordado

- Los bordados se hacen con dos hebras de hilo, excepto las patas de la gallina y del gallo, que se bordan con tres hebras. Los ojos de los animales son puntos de nudo en negro.
- Página 1: bordar de color tostado el contorno de la ventana y de la puerta y la cruz de la puerta, a pespunte; el heno de la ventana se hace con puntadas rectas alternando amarillo claro y amarillo; las alas de la gallina a punto de margarita amarillo, y con el mismo color, la cola y el pico con puntos rasos; las espigas de trigo con puntos de nudo alternando amarillo claro y amarillo; los tallos y las hojas del trigo a pespunte verde (1).
- Página 2: puntos de nudo tostado claro en la oveja; puntos de nudo lavanda en las flores; hojas a punto de margarita verde (2).
- Página 3: todos los pollitos de peluche se bordan a punto raso amarillo claro; las alas de los pollitos a punto de margarita amarillo claro; las patas de los pollitos y de la gallina a pespunte amarillo; los picos de los pollitos y de la gallina a punto de satén amarillo; las manchas de la gallina a punto de nudo amarillo claro; la cresta y barba de la gallina a punto de margarita rojo; los pétalos de la margarita a punto de margarita blanco; el centro de las margaritas a punto de nudo amarillo; los tallos de las flores a pespunte verde (3).
- Página 4: la nariz de las vacas a punto de nudo tostado; las colas a pespunte negro; los pétalos del girasol a punto de margarita amarillo claro, el centro a punto de nudo tostado y los tallos a pespunte verde; las hojas a punto de margarita verde (4).
- Página 5: los tallos a pespunte verde; las hojas a punto de margarita verde (5).
- Página 6: el pollito es igual que el de la página 3; las manchas del gallo se bordan a punto de nudo tostado, las patas a pespunte amarillo, el pico a punto de satén amarillo, la cola a punto de hoja tostado; los pétalos de las flores a punto de margarita blanco y el centro a punto de nudo amarillo claro (6).

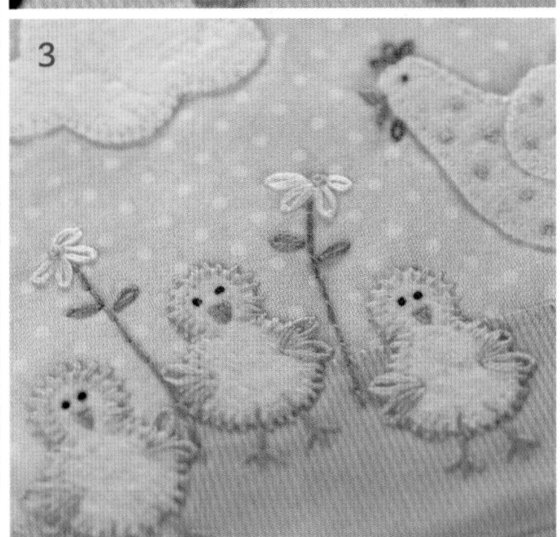

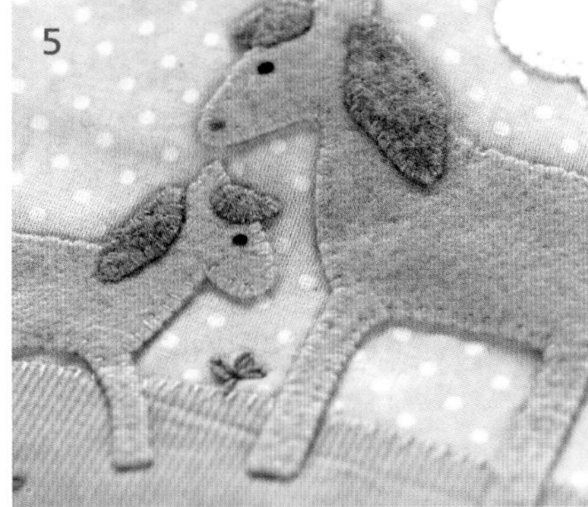

3 Para las aplicaciones, dibujar las piezas sobre el lado de papel de un «Freezer paper». Pegar con la plancha el lado brillante del papel sobre el fieltro del color que corresponda y recortar las figuras. Pegar o prender las piezas en su sitio y coserlas a punto por encima con una hebra de hilo de bordar a tono. Las figuras y colores son los siguientes:
Página 1, cubierta: granero, tostado; la puerta, la ventana y el tejado, tostado oscuro; la valla, blanco; la gallina, amarillo claro.
Página 2: cuerpo de las ovejas y nube, blanco; patas, cabezas y orejas, negro.
Página 3: nube, blanco; pollitos, amarillo claro; gallina y ala, crudo.
Página 4: nube y cuerpo de las vacas, blanco; hocicos, crudo; manchas, negro.
Página 5: nube, blanco; cuerpo de los caballos, tostado; crines y colas, tostado oscuro.
Página 6, contracubierta: valla, blanco; pollitos y centro del sol, amarillo claro; exterior del sol, amarillo; cuerpo del gallo, ala y plumas de la cola, dorado, y cresta, rojo.

4 Hacer los bordados del proyecto como se indica en el recuadro de la página anterior. Ver la sección de Técnicas para aprender cómo se hacen todos los puntos utilizados en este proyecto.

5 Cortar tres piezas de peluche termoadhesivo, de 5½" x 5½" (14 x 14 cm). Poner estas piezas por detrás de solo tres páginas: la 1, la 3 y la 5, centrando el peluche a ¼" (6 mm) del borde de la página, arriba y abajo. No meter el peluche en la zona del lomo.

6 Poniendo derecho con derecho, prender las páginas como sigue: cubierta con la página 2, página 3 con la 4; página 5 con la 6. Comprobar que los lomos estén casados y que coincida la parte de arriba con la de arriba y la de abajo con la de abajo. Hacer una costura sobre la línea discontinua, por arriba, por el borde exterior y por abajo, dejando sin coser el borde del lomo. Recortar las costuras, volver del derecho y planchar. Alinear las páginas, recortándolas por el lomo si fuera necesario. Hilvanar a máquina para sujetar las páginas atravesando todas las capas.

7 Para el lomo, cortar una tela amarilla estampada, de 3¼" x 6" (8,3 x 15,2 cm). Doblarla por la mitad a lo largo, derecho con derecho. Hacer una costura a ¼" (6 mm) en los bordes cortos. Para hacer un borde a dobladillo, doblar ½" (1,3 cm) hacia el revés. Planchar y volver del derecho. Comprobar la medida del lomo; si se ajusta bien, meter sin forzar el borde interior de todas las hojas dentro del lomo e hilvanarlas. Con tres hebras de hilo de bordar, hacer unas cruces atravesando todas las capas para poder mantenerlas unidas, comprobando que las cruces de detrás quedan también centradas. Para terminar, hacer una costura a mano sobre el lomo, a lo largo del borde, atravesando todas las capas. Ya se pueden contar cuentos con el libro.

» CONSEJO

En lugar de fieltro se pueden utilizar telas estampadas. Hay que reforzarlas con fliselina termoadhesiva sobre la que se dibujan los motivos y luego se recortan. Pegar las aplicaciones en su sitio y hacer un punto por encima por los bordes, lo mismo que para el fieltro.

Proyecto de 5-7 días

Quilt alfombra blandita

A los pequeños les encanta este mullido quilt con sus diferentes texturas, desde el peluche y la chenilla blanditos, hasta los suaves algodones y los rasos satinados.

Se necesita

- Tejidos en azul: estampado, chenilla, peluche, raso, ¼ de yarda (25 cm) de cada
- Tejidos en rosa: estampado, peluche alto, chenilla, peluche, raso, ¼ de yarda (25 cm) de cada
- Tejidos en blanco: peluche alto, estampado, ¼ de yarda (25 cm) de cada
- Tejidos en crudo: estampado, chenilla, ¼ de yarda (25 cm) de cada
- Tejidos en verde: dos estampados, peluche, ¼ de yarda (25 cm) de cada
- Tejidos en amarillo: raso, peluche, estampado, ¼ de yarda (25 cm) de cada
- Tela estampada lavanda, ¼ de yarda (25 cm)
- Fieltro de lana rosa, verde y azul, 12" x 12" (30,5 x 30,5 cm) de cada
- Entretela termoadhesiva de grosor medio, 4 yardas (3,75 m)
- «Freezer paper»
- Tela para la trasera y guata poco mullida, 1 yarda (1 m) de cada
- Tela verde para ribetear, ½ yarda (50 cm)
- Cinta de piquillo crudo y verde de ⅞" (2,2 cm) de ancho x 1 yarda (1 m) de cada
- Hilo de bordar mouliné DMC, 3821 amarillo, 152 rosa, 813 azul, 3348 verde y 3041 lavanda, más colores a tono con los fieltros

Tamaño terminado:
33" x 33" (83,8 x 83,8 cm)

» CONSEJO

Se deben lavar todos los tejidos antes de utilizarlos. Los fieltros de lana se aclaran en agua templada para que encojan y suelten el tinte. Dejar que se sequen bien antes de usarlos. Cuando haya que lavar el quilt, se hará en un ciclo suave.

» Instrucciones

1 Ver las plantillas correspondientes en la sección Plantillas al final del libro. Ver en la fig. 1 el diseño del quilt con la disposición de los colores y de los tipos de tejido. Empezar por cortar dieciséis cuadrados de 8½" x 8½" (21,6 x 21,6 cm). Cortar dieciséis cuadrados de entretela de igual tamaño. Pegar la entretela sobre el revés de los cuadrados de tejido, siguiendo las instrucciones del fabricante. Coser los cuadrados unos con otros dejando ¼" (6 mm) de costura, haciendo cuatro filas y cuatro columnas. Planchar todas las costuras abiertas.

» CONSEJO

Las aplicaciones se cosen remetiendo el borde, por lo que hay que dejar un margen alrededor de todas las figuras. Con este método las aplicaciones quedan más seguras y el quilt alfombra resiste mejor el uso.

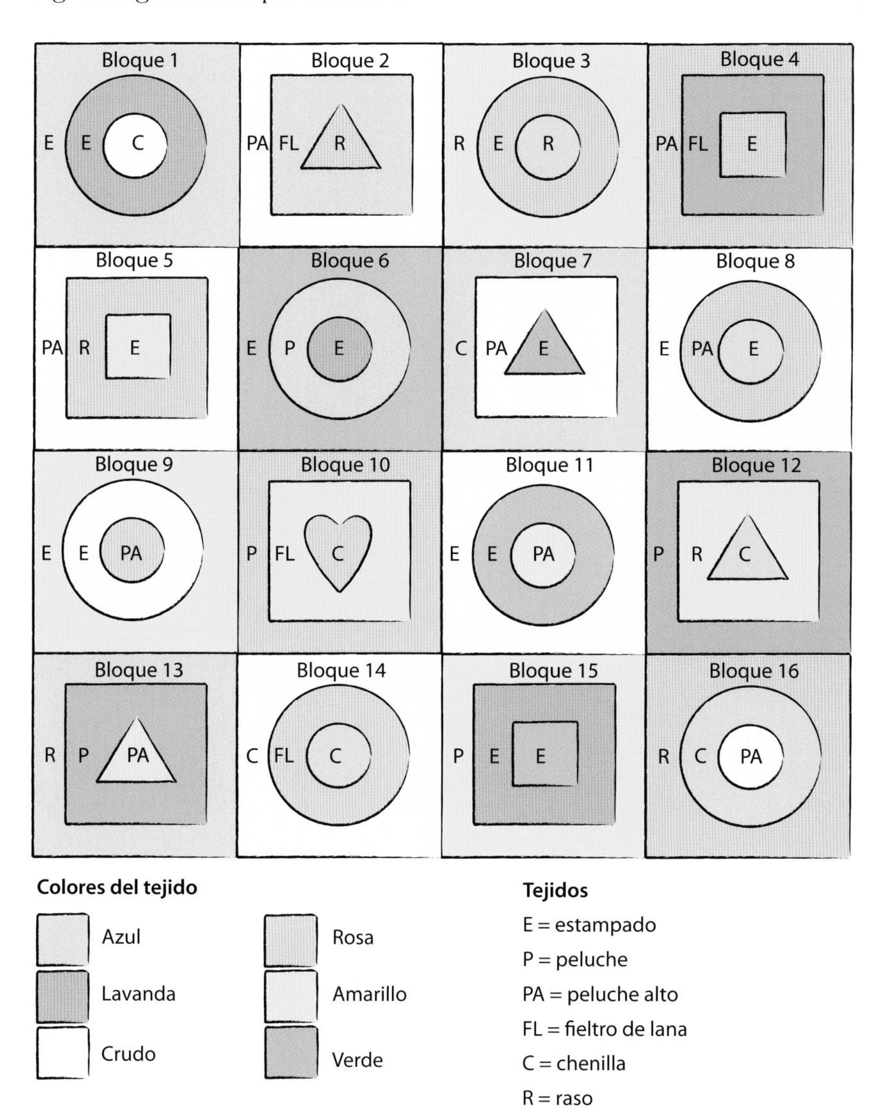

Fig. 1 Diagrama del quilt alfombra

2 Siguiendo la fig. 1, preparar las aplicaciones: cortar ocho discos grandes y ocho cuadrados grandes de tela o fieltro. Las aplicaciones de tela se cosen remetiendo el borde, por lo que se cortan ¼" (6 mm) mayores que la plantilla. Las aplicaciones de fieltro no se remeten porque se cortan utilizando «Freezer paper», dibujando por la línea continua de la plantilla.

3 Aplicar un disco o un cuadrado grande en los bloques, con hilo de coser a máquina o con una hebra de hilo de bordar para las aplicaciones de fieltro. Hacer nudos fuertes y puntadas muy juntas para que las aplicaciones queden sólidas y seguras.

4 Cortar ocho discos pequeños para las aplicaciones de redondeles. Yo puse un piquillo en cinco de las aplicaciones de disco. Hilvanar (pegar) el piquillo por detrás de los discos después de remetidos, pero antes de coserlos a mano, remetiendo los extremos del piquillo por debajo del disco.

5 Cortar tres cuadrados pequeños, cuatro triángulos pequeños y un corazón para aplicarlos. Coserlos a mano en donde se indica en la fig. 1.

6 Unos bloques van acolchados y decorados. Las bastillas se hacen con tres hebras de hilo de bordar. El piquillo se afianza con puntos de nudo.
Bloque 1: bastilla en verde alrededor del disco grande.
Bloque 3: piquillo crudo alrededor del disco pequeño y punto de nudo en verde.
Bloque 4: bastilla en amarillo por dentro del cuadrado pequeño.

Bloque 5: bastilla en azul por dentro del cuadrado pequeño.
Bloque 6: piquillo crudo alrededor del disco pequeño con puntos de nudo en rosa. Bastilla en amarillo alrededor del disco grande.
Bloque 8: piquillo verde alrededor del disco pequeño, con puntos de nudo en amarillo. Bastilla lavanda alrededor del disco grande.
Bloque 9: piquillo verde alrededor del disco pequeño y puntos de nudo lavanda. Bastilla azul alrededor del disco grande.
Bloque 11: bastilla en rosa alrededor del disco grande.
Bloque 14: piquillo crudo alrededor del disco pequeño y puntos de nudo en amarillo.
Bloque 15: bastilla rosa por dentro del cuadrado pequeño.
Bloque 16: bastilla en amarillo alrededor del disco grande.

7 Por detrás del quilt poner la guata y la tela de la trasera. Con seis hebras de hilo de bordar de distintos colores, atar las capas en los puntos centrales (ver en Técnicas, Atar un quilt). Hacer un nudo fuerte y cortar las hebras dejando unos cabos de 1¼" (3,2 cm).

8 Para ribetear el quilt, cortar cuatro tiras de tela, de unas 38" (96,5 cm) de largo y 3½" (8,9 cm) de ancho. Ribetear el quilt siguiendo las instrucciones de Ribetear un quilt o un almohadón en la sección de Técnicas.

» CONSEJO

Yo puse por detrás de los bloques una entretela termoadhesiva de grosor medio antes de coserlos. Así se estabiliza el tejido y se evita que cedan los tejidos elásticos (el peluche) y se cosen mejor. También utilicé un estabilizador en las telas elásticas de las aplicaciones.

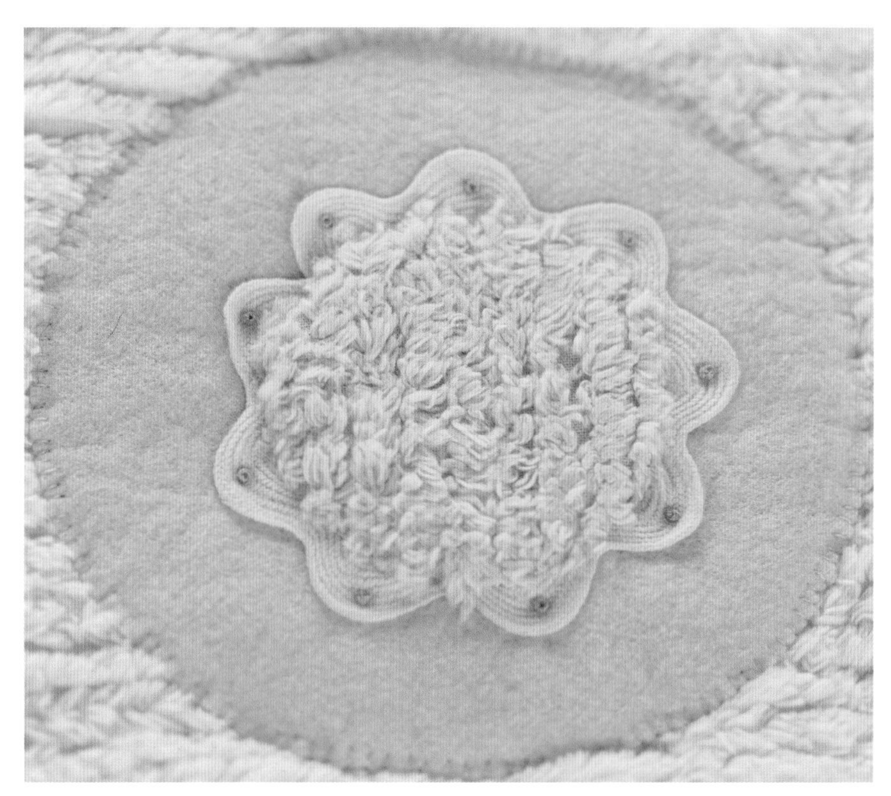

>> **CONSEJO**

Para el piquillo, hacer costuras francesas que evitan que se deshilen las puntas al lavar el quilt. Coser simplemente los dos lados del revés, dejando un margen de apenas 1/8" (3 mm). Planchar la costura abierta, poner los dos derechos uno con otro y volver a hacer una costura, dejando la anterior por dentro.

Técnicas básicas

En esta sección se describen las técnicas básicas y los puntos necesarios para realizar los proyectos del libro.

Cómo se utiliza el libro

- Los proyectos de este libro utilizan medidas en pulgadas. Entre paréntesis se ofrece su conversión en medidas métricas. Se debe seguir siempre el mismo sistema de medidas, ya que los dos no son exactamente equivalentes. Lo mejor es emplear pulgadas.
- Todas las costuras se hacen dejando un margen de ¼" (6 mm), de no indicarse otra cosa. Las instrucciones de corte incluyen un margen de ¼" (6 mm).
- Los dibujos de las piezas de aplicación corresponden al tamaño terminado. Las plantillas de las aplicaciones no incluyen el margen de costura de ¼" (6 mm) para remeter. Si se elige coser las aplicaciones remetiendo un margen, se añade ¼" (6 mm) todo alrededor.
- Las líneas más gruesas de las plantillas corresponden a las aplicaciones, y las más finas a los bordados.

Dibujar las plantillas y los motivos

Calcar los motivos centrándolos sobre una fuente de luz. Puede ser una caja con luz o una ventana soleada. Colocar primero el papel con el motivo que se ha de dibujar y poner encima la tela. Conviene sujetar el dibujo con cinta adhesiva para trabajar con mayor comodidad.

También se pueden dibujar las plantillas sobre «Freezer paper» y pegar con la plancha el papel sobre la tela antes de recortar el motivo (ver Utilización del fieltro de lana para aplicaciones, página siguiente). Aunque lleva más tiempo, es más preciso. El «Freezer paper» se puede reutilizar varias veces. Se emplea en casi todos los proyectos y se puede adquirir por hojas individuales o por yardas/metros.

Utilizar el instrumento de marcado que se prefiera para dibujar los motivos en la tela. Mi favorito es un rotulador azul no permanente, pero se puede usar jaboncillo de sastre, un lápiz o un rotulador lavable.

Poner guata

Me gusta hacer el top de un quilt, dibujarlo y prepararlo para bordar. Luego le pongo por detrás una guata fina para quilts para lograr un efecto acolchado al coser. La guata se corta más grande que el top y se recorta cuando se ha terminado de acolchar. La guata se puede sujetar prendiéndola, hilvanándola o pegándola con pegamento provisional o con adhesivo para tela en aerosol, lo que se prefiera. Este método proporciona estabilidad mientras se cose, permite pasar las hebras de un lado a otro sin que se vean por delante y, sobre todo, realza las puntadas dándoles cuerpo sin que queden aplastadas.

Utilización de productos termoadhesivos

En los proyectos del libro he utilizado varios productos termoadhesivos, como gasilla, entretela y peluche.

FLISELINA TERMOADHESIVA DE DOBLE CARA

Se necesita fliselina termoadhesiva para casi todos los proyectos y se puede comprar en hojas o por yardas/metros. Por un lado es como papel y se puede dibujar encima el motivo que se desee (tener en cuenta que la figura quedará invertida). Cortar aproximadamente y pegarla sobre el dorso del fieltro o de la tela que se vaya a aplicar. Recortar luego por las líneas del motivo, retirar el papel de la trasera y pegar con la plancha a temperatura media sobre la tela de fondo. Si se utiliza este método para una aplicación de fieltro de lana, se puede omitir la costura por encima del borde y pasar directamente a los bordados.

ENTRETELA TERMOADHESIVA

He utilizado una entretela termoadhesiva por una cara en algunos tejidos, como minkee y peluches, para reducir su elasticidad, y en telas finas para darles más cuerpo.

PELUCHE TERMOADHESIVO

Existen tejidos de peluche termoadhesivos y los he usado en algunos proyectos, como Un álbum para presumir y la Bolsa con casita.

Utilización del fieltro de lana para aplicaciones

Antes de utilizar el fieltro de lana, hay que mojarlo. Se hace aclarándolo bajo el chorro de agua templada y se continúa hasta que el agua salga casi limpia. Apretarlo para escurrirlo y dejarlo secar antes de plancharlo. De este modo se tiene la seguridad de eliminar los tintes y de que la lana ha encogido a su tamaño. Conviene tener la costumbre de aclarar el fieltro en cuanto se compra para tenerlo listo para usar cuando se necesite.

Utilizar «Freezer paper» para cortar las figuras de fieltro. Dibujar el motivo de la aplicación sobre el lado mate del papel (no hay que dejar margen de remetido en una aplicación de fieltro). Con la plancha sin vapor, pegar el lado brillante del «Freezer paper» sobre el fieltro y así quedará adherido temporalmente. Después, recortar el fieltro por las líneas dibujadas y despegar el papel del fieltro. Se puede volver a utilizar la misma plantilla de «Freezer paper» varias veces.

Pegar las piezas de aplicación de fieltro sobre la labor: bastan unos puntos de pegamento para adherirlas. Ese es el método que utilizo con todas las aplicaciones. Si no se ha hecho antes, se comprobará lo cómodo que es no tener que quitar alfileres o hilvanes. Después de pegar, yo plancho ligeramente las piezas. Es una manera de fijarlas y además la superficie queda más lisa y mejor preparada para coser por encima. Con una hebra de hilo de bordar a tono con el color de la aplicación, hago un simple repulgo (página 105) para coserla con el fondo y que quede bonita.

Con mi rotulador preferido, azul no permanente, dibujo las líneas de bordado sobre el fieltro. Después de coser, borro las líneas con una esponja mojada, dando toques sobre ellas. La tiza también funciona bien con el fieltro y las marcas se borran con un simple cepillado. El fieltro de lana no se marca bien y por eso conviene acostumbrarse a hacer los bordados a ojo. ¡Seguro que todo el mundo es capaz de hacer los puntos de nudo y los puntos de margarita sin marcas!

Ribetear un quilt o un almohadón

1 Cortar unas tiras de tela para ribetear de 2½" (6,3 cm) de ancho. Quizá haya que empalmar tiras para poder rodear la labor, más unas pulgadas extra para las esquinas y finales. Doblar el borde izquierdo de la tira hacia arriba para formar un borde diagonal y planchar la tira del ribete doblada por la mitad, revés con revés, a lo largo (ver fig. 1A).

2 Prender el canto de la tira de ribete casándolo con el canto del derecho del quilt, con el doblez mirando hacia dentro y a 1" (2,5 cm) de una esquina. Dejar un cabo de 1" (2,5 cm) de ribete suelto y hacer una costura dejando un margen de ¼" (6 mm) y parando a ¼" (6 mm) de la esquina siguiente (fig. 1B).

Fig. 1A

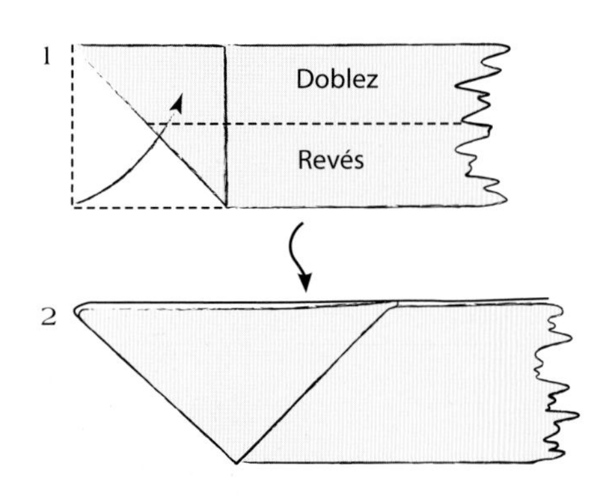

Fig. 1B

Fig. 1C

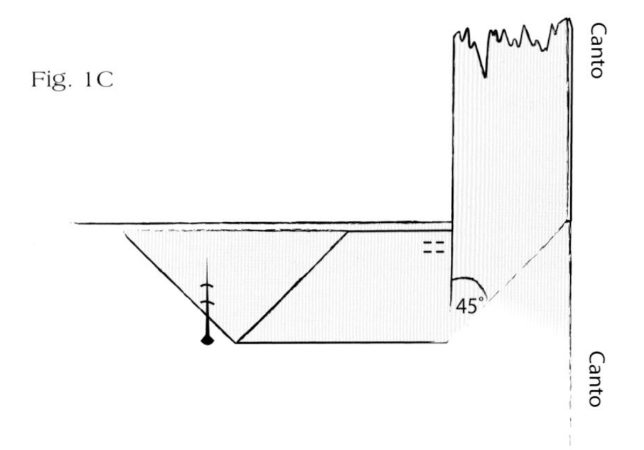

Fig. 1D

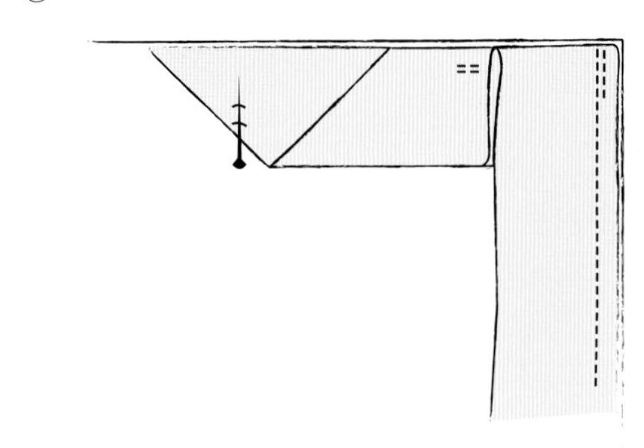

Fig. 1E

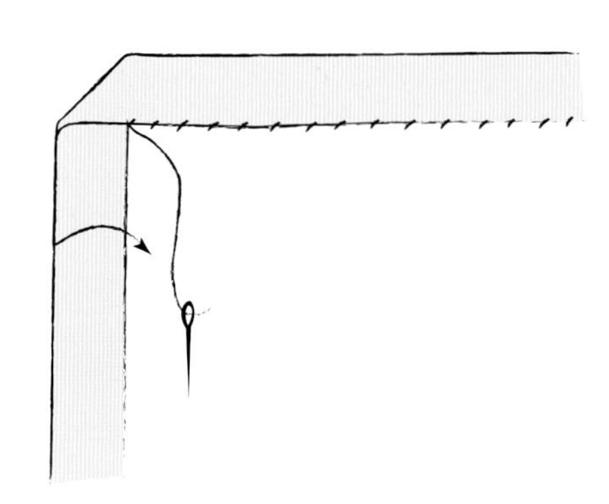

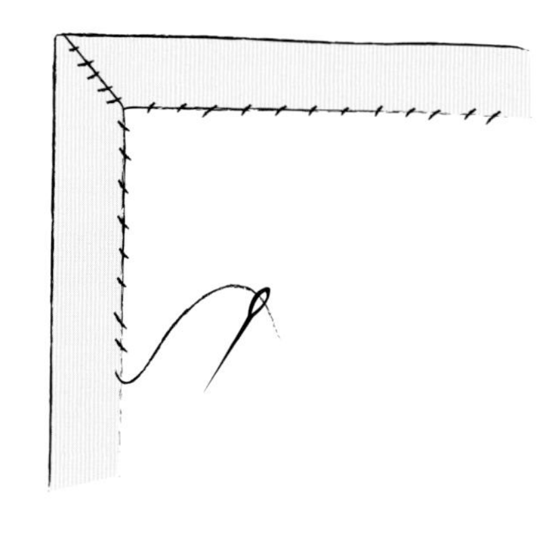

3 Doblar el ribete hacia arriba en la esquina formando un ángulo de 45º, alineando los cantos como se muestra en la fig. 1C.

4 Doblar el ribete de nuevo hacia abajo, alineándolo con el borde derecho del quilt (fig. 1D). Dar unas puntadas hacia atrás por el borde y seguir la costura a ¼" (6 mm) hasta la esquina siguiente, como antes. Al llegar al principio, remeter la punta por dentro del cabo doblado y seguir la costura por encima. Recortar la guata y la trasera a ras de los cantos del ribete y del top. Recortar las esquinas en diagonal para restar volumen a las esquinas a inglete.

5 Doblar el ribete sobre los cantos hacia el revés del quilt y coserlo en su sitio, doblándolo en las esquinas para formar un inglete bien hecho, como se muestra en la figura 1E.

Atar un quilt

En lugar de acolcharlas, las capas de un quilt se pueden atar con nudos de hilo a distancias iguales. Extender el quilt con el derecho hacia arriba y alisarlo. Enhebrar una aguja con una hebra larga doble de hilo de bordar. Pinchar la aguja desde el frente del quilt, atravesar las capas y salir por el dorso, dejando un cabo de 3" (7,6 cm) de hilo por el frente. Dar una pequeña puntada hacia atrás y volver a salir con la aguja hacia el frente. Atar el hilo firmemente haciendo un nudo plano y cortar los cabos de hilo a ½"-1" (1,3-2,5 cm) del nudo. Seguir atando a intervalos iguales todo el quilt, o según se indique en las instrucciones del proyecto.

Hilo de bordar

En todos los proyectos del libro he utilizado hilo de bordar de algodón mouliné de DMC. Estos hilos poseen una gran variedad de colores. En las secciones sobre bordado de cada proyecto he indicado los colores empleados, pero, naturalmente, se pueden cambiar según las preferencias de cada uno y se puede usar otra marca de hilo.

Los hilos de bordar se suelen presentar agrupados en seis hebras y se pueden dividir en hebras sueltas. En cada proyecto se indica el número de hebras (una, dos o tres) que se utiliza.

Puntos utilizados

PESPUNTE O PUNTO ATRÁS

Salir con la aguja hacia el derecho de la tela, donde vaya a empezar la línea de pespunte. Desplazándose hacia atrás, pinchar la aguja a 1/8" (3 mm) de donde se salió. Salir con la aguja de nuevo a 1/8" (3 mm) de donde se salió. Pinchar la aguja en el agujero por donde se salió. Repetir esta secuencia, saliendo con la aguja por delante del último agujero.

PUNTO DE HOJA

Este punto es esencialmente un punto de margarita abierto que queda en punta. Salir con la aguja hacia el derecho. Pincharla a 1/8" (3 mm) del principio en horizontal y salir en el mismo movimiento a 1/8" (3 mm) entre los dos puntos anteriores, en el centro y por debajo. Sujetar la hebra formando una presilla mientras se tira de ella para formar una punta. Pinchar la aguja hacia el revés, justo por encima de la hebra en la punta, para anclarla.

PUNTO DE NUDO

Salir con la aguja hacia el derecho de la tela. Enrollar la hebra sobre la aguja una, dos o tres veces, dependiendo del tamaño que se desee para el nudo. Pinchar la aguja de nuevo en el agujero original, con cuidado de que no se desenrollen las vueltas. Tirar de la aguja por el revés, pasando despacio la hebra por dentro de las vueltas para formar un nudo arriba.

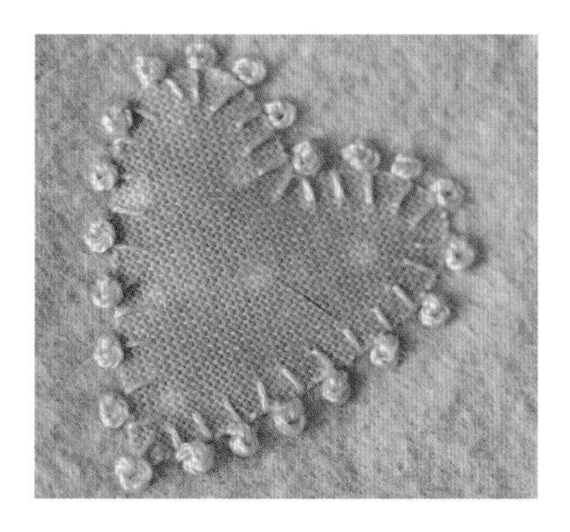

PUNTO DE MARGARITA

Salir con la aguja hacia el derecho de la tela en la base de la punta del punto (imaginar una lágrima: la base es la punta, la parte redondeada es la presilla). Pinchar la aguja en la base, en el mismo agujero de salida, pero no pasar del todo la hebra. Dejar que la hebra forme una presilla y volver a salir con la aguja arriba de la presilla, a la distancia que se desee de la base. Prender la presilla con la aguja y tirar de la hebra hasta que la presilla tenga la forma de una lágrima. Formar un puente sobre la presilla dando una pequeña puntada para anclarla en su sitio.

BASTILLA

Salir con la aguja hacia el derecho de la tela. Dar una puntada del largo que se desee (normalmente 1/8"/3 mm) pinchando la aguja hacia el revés. Salir con la aguja, dejando nuevamente una pequeña distancia con respecto a la puntada anterior. Repetir hasta terminar la línea de bastilla.

PUNTO DE SATÉN

Salir con la aguja en la parte de arriba de la figura que se vaya a rellenar. Pinchar la aguja en horizontal, cruzando la figura hasta la parte inferior. Hacer la puntada siguiente saliendo junto a la primera y pinchando junto al final de aquella. Seguir dando puntadas no muy apretadas, una junto a otra, hasta tener rellena la figura.

PUNTO DE DOBLADILLO O DESLIZADO

Este punto se utiliza para cerrar aberturas. Salir con la aguja hacia el frente en uno de los lados, a apenas 1/16" (1,5 mm) del borde. Atravesar el otro lado haciendo una puntada de apenas 1/16" (1,5 mm). Tirar de la hebra para unir los dos lados. Pinchar la aguja por el primer lado y repetir, yendo de un lado a otro, hasta cerrar la abertura.

PESPUNTE A MÁQUINA

Se hace con puntadas rectas de 1/8" a ¼" (3 a 6 mm) de largo, atravesando todas las capas y fijando las piezas sobre la tela de fondo.

PUNTO POR ENCIMA O REPULGO

He utilizado este punto para fijar las aplicaciones sobre la tela de fondo. Salir con la aguja a 1/8" (3 mm) por dentro de la aplicación. Desplazar la aguja en horizontal 1/8" (3 mm) y pincharla en la tela de fondo. Por el revés, desplazar la aguja en diagonal y hacia delante 1/8" (3 mm) sobre la aplicación y de nuevo pincharla a 1/8" (3 mm) en la tela de fondo. Repetir todo alrededor de la figura de aplicación.

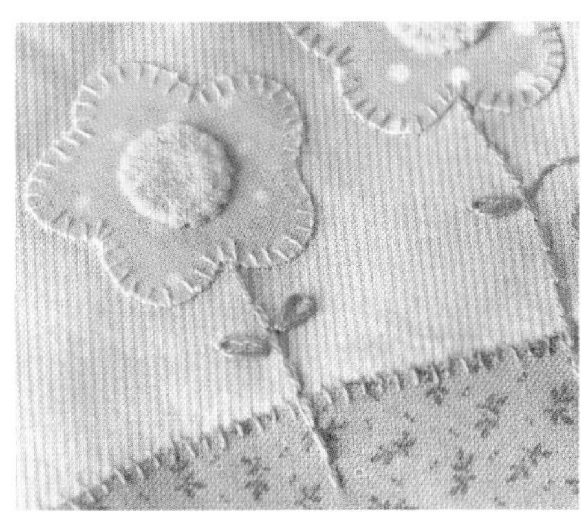

Plantillas

Nota importante: las plantillas se han reducido a la mitad de su tamaño, por lo que se deben ampliar un 200% en fotocopiadora antes de utilizarlas.

Capítulo Bienvenido bebé
Funda para biberón grande
Plantillas de las aplicaciones – *a la mitad de su tamaño; ampliarlas un 200%*

Funda para biberón pequeño
Plantillas de los bordados – *a la mitad de su tamaño; ampliarlas un 200%*

Capítulo Bienvenido bebé
Botas calentitas
Plantillas – *a la mitad de su tamaño; ampliarlas un 200%*
Se incluye un margen de costura de ¼" (6 mm) en todas las piezas

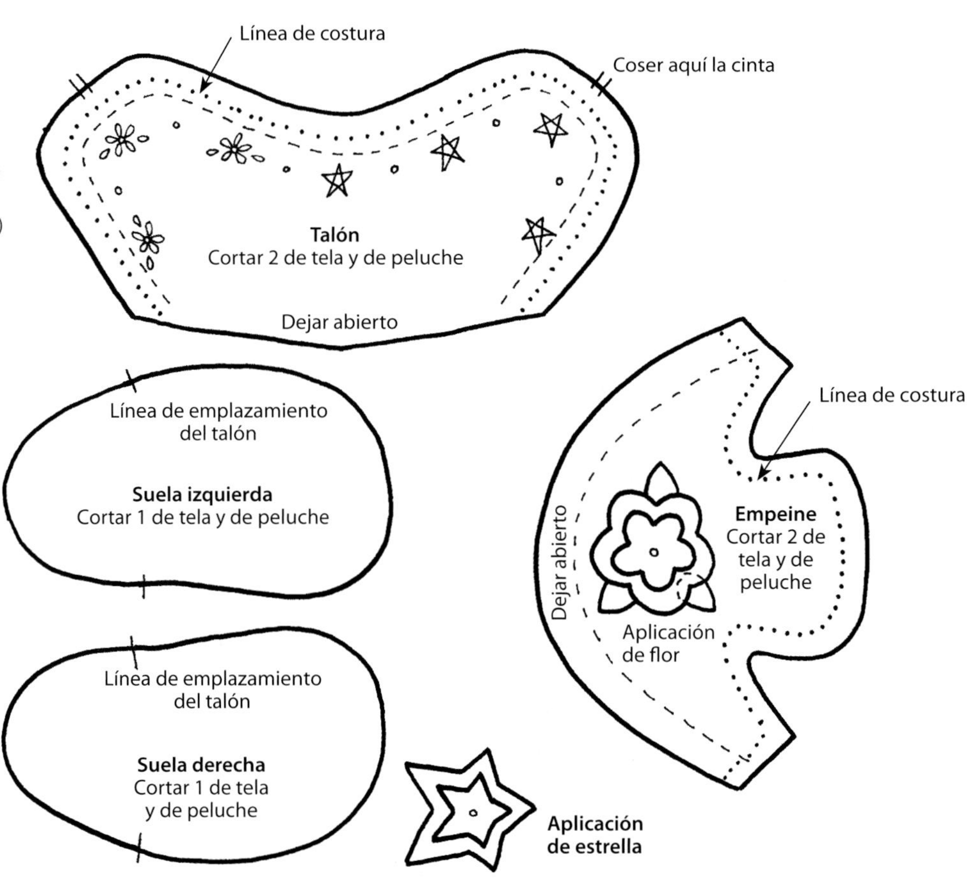

Capítulo Bienvenido bebé
Guirnalda de bienvenida
Plantillas – *a la mitad de su tamaño; ampliarlas un 200%*

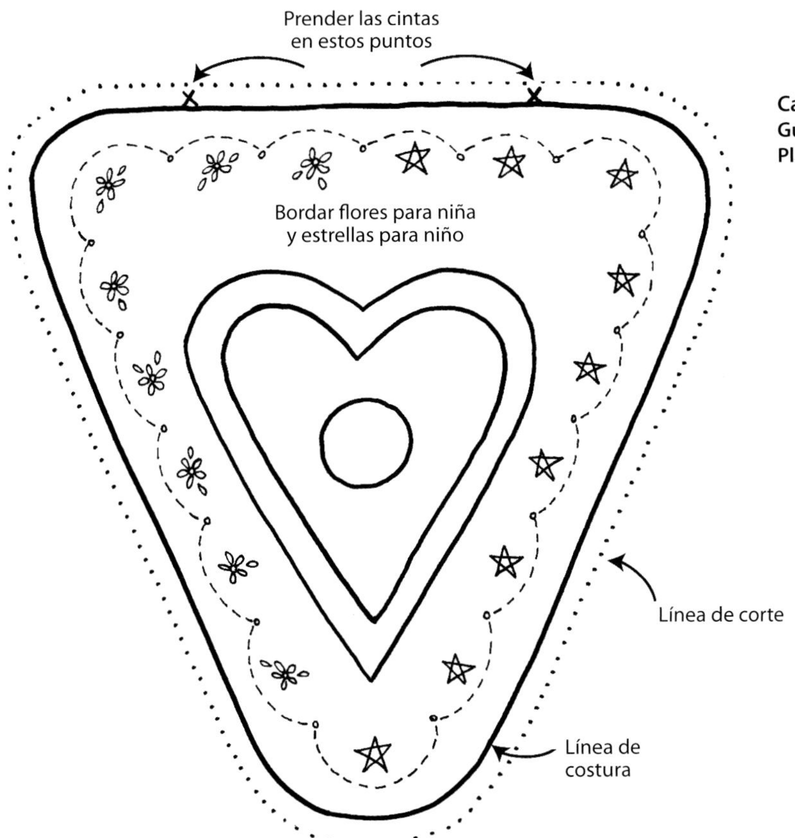

Capítulo Para el recién nacido
Colgante de puerta Sol y Luna
Plantillas – *a la mitad de su tamaño; ampliarlas un 200%*

Capítulo Bienvenido bebé
Guirnalda de bienvenida
Plantillas – *a la mitad de su tamaño; ampliarlas un 200%*
Las líneas discontinuas indican dónde se solapan las piezas

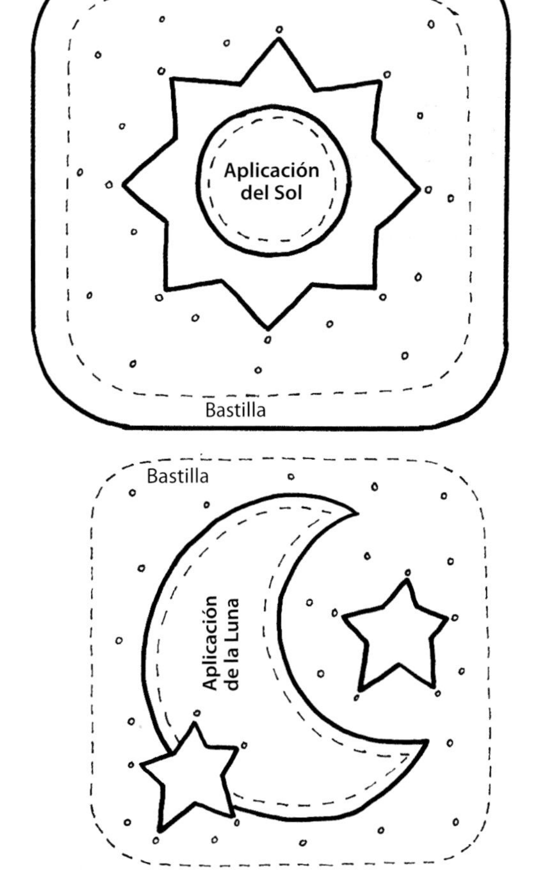

Capítulo Para el recién nacido
Bolsa para el sillón
Plantillas – *a la mitad de su tamaño; ampliarlas un 200%*

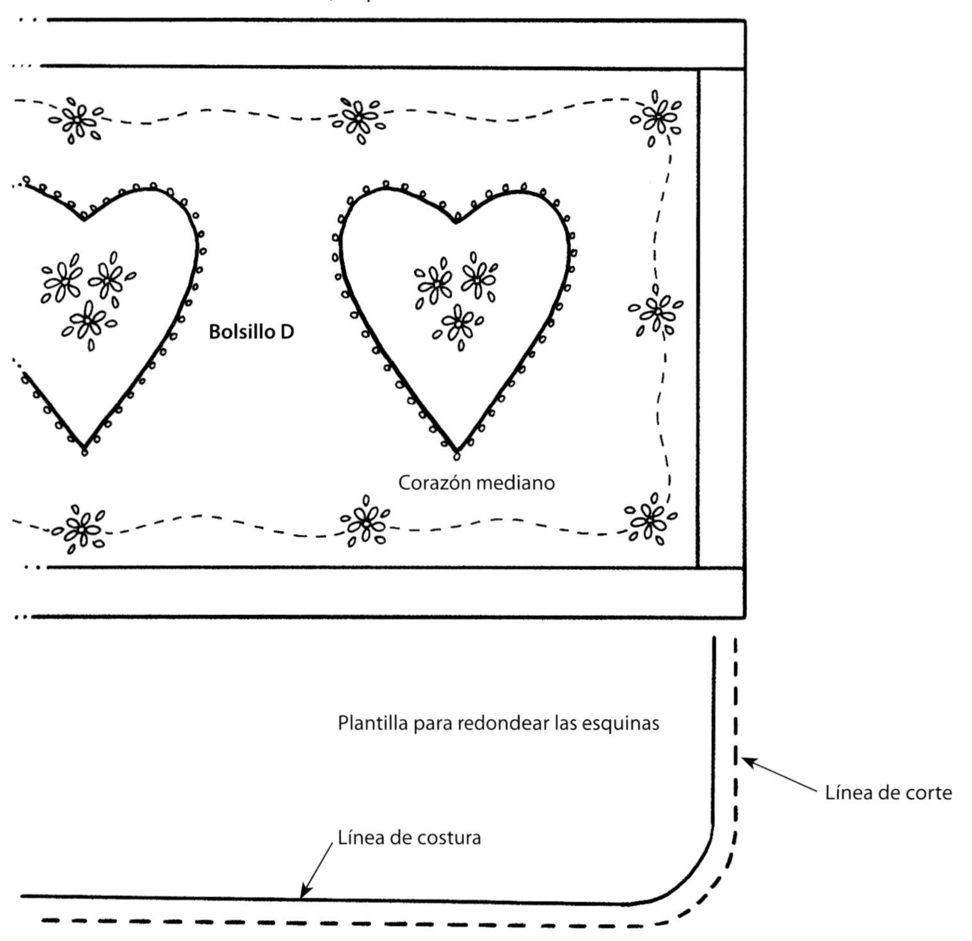

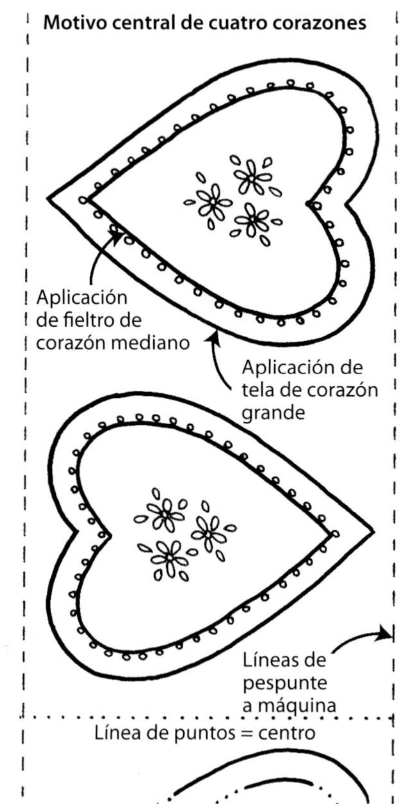

Capítulo Para el recién nacido
Bolsa para el sillón
Plantillas – *a la mitad de su tamaño; ampliarlas un 200%*

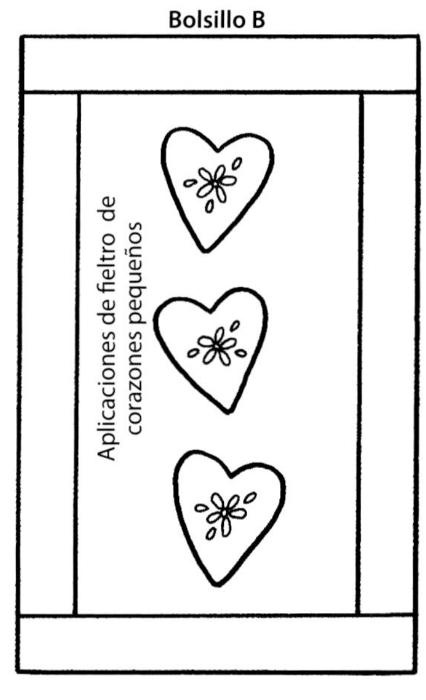

Capítulo Para el recién nacido
Bolsa para el sillón
Plantillas – *a la mitad de su tamaño; ampliarlas un 200%*

Detalle del bordado del bolsillo A

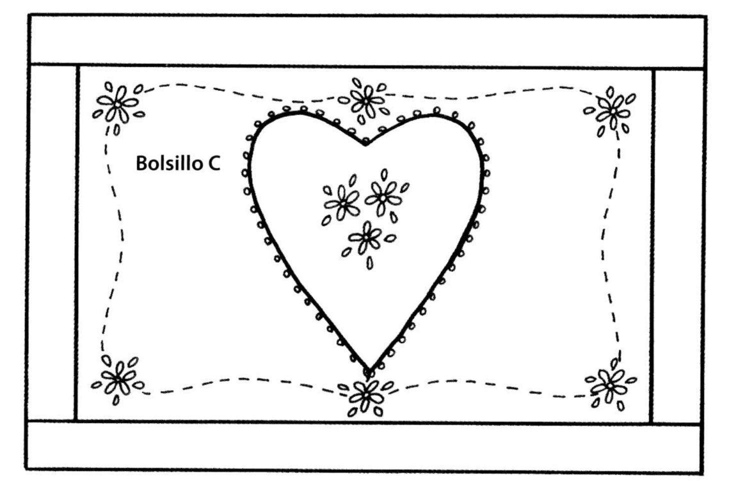

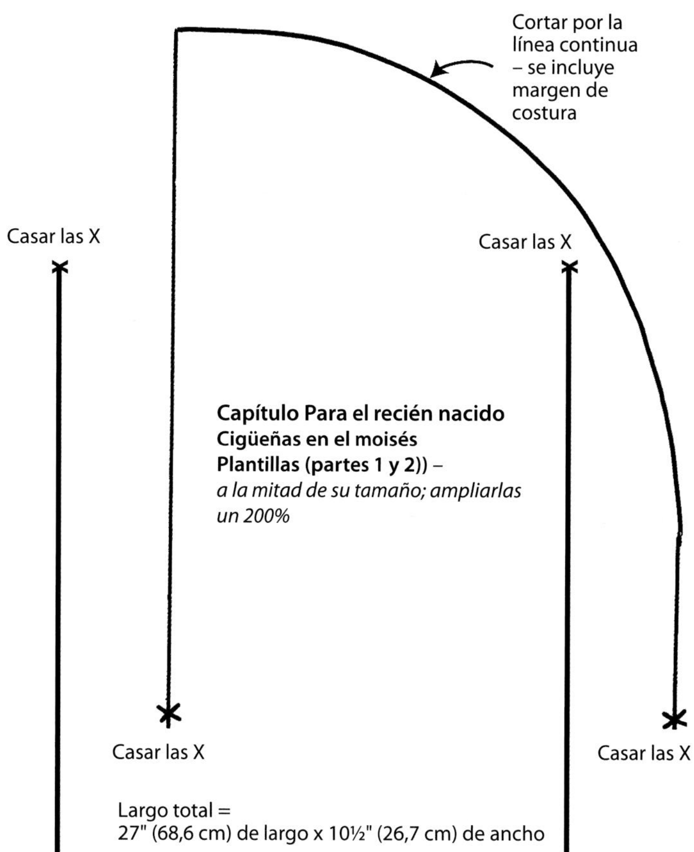

Capítulo Para el recién nacido
Cigüeñas en el moisés
Plantillas (partes 1 y 2)) –
a la mitad de su tamaño; ampliarlas un 200%

Capítulo Para el recién nacido
Cigüeñas en el moisés
Plantillas de las aplicaciones – *a la mitad de su tamaño; ampliarlas un 200%*

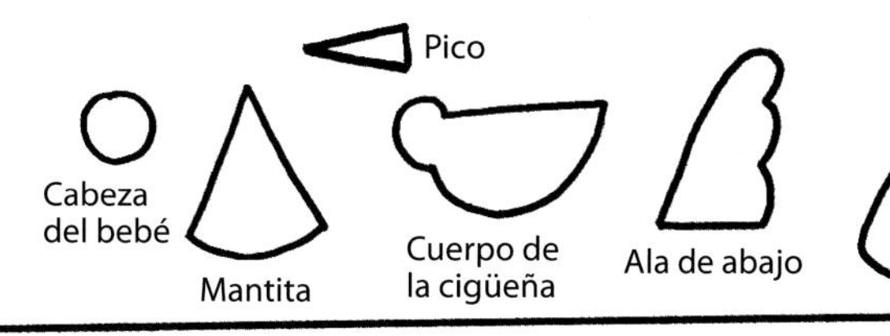

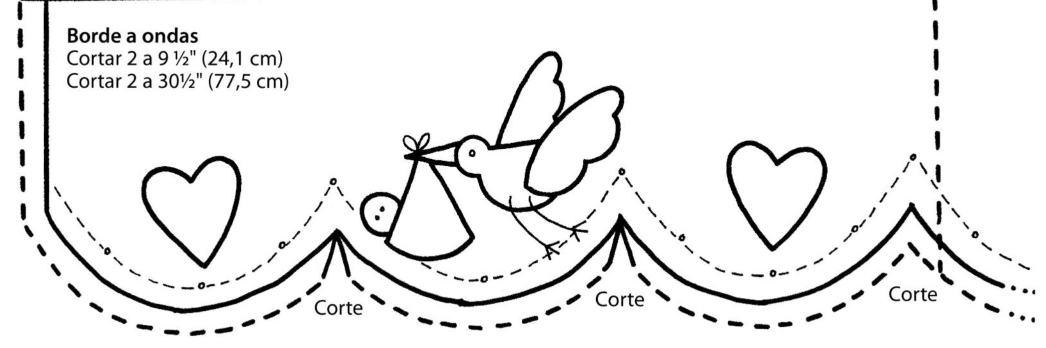

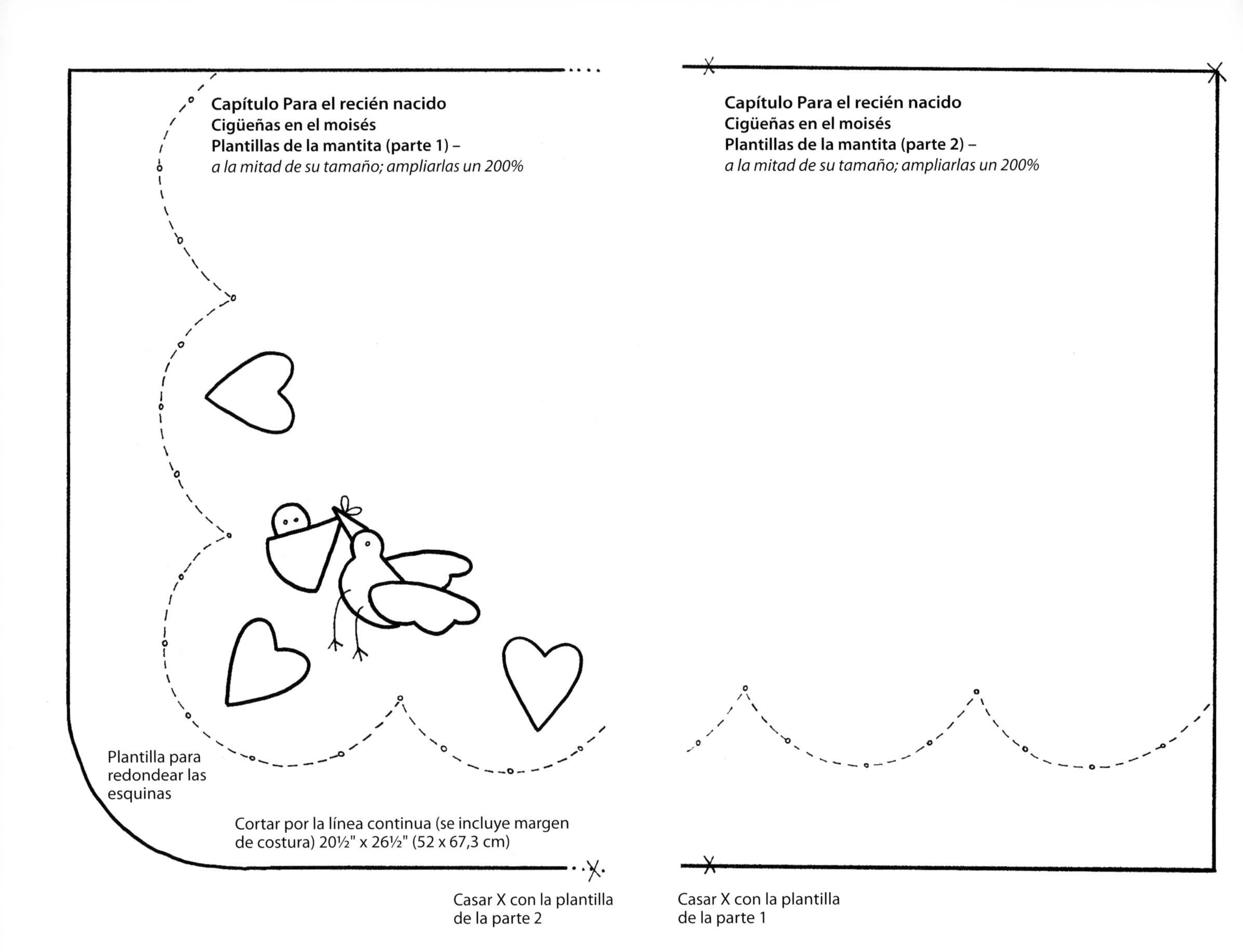

Capítulo Para el recién nacido
Cigüeñas en el moisés
Plantillas de la mantita (parte 1) –
a la mitad de su tamaño; ampliarlas un 200%

Capítulo Para el recién nacido
Cigüeñas en el moisés
Plantillas de la mantita (parte 2) –
a la mitad de su tamaño; ampliarlas un 200%

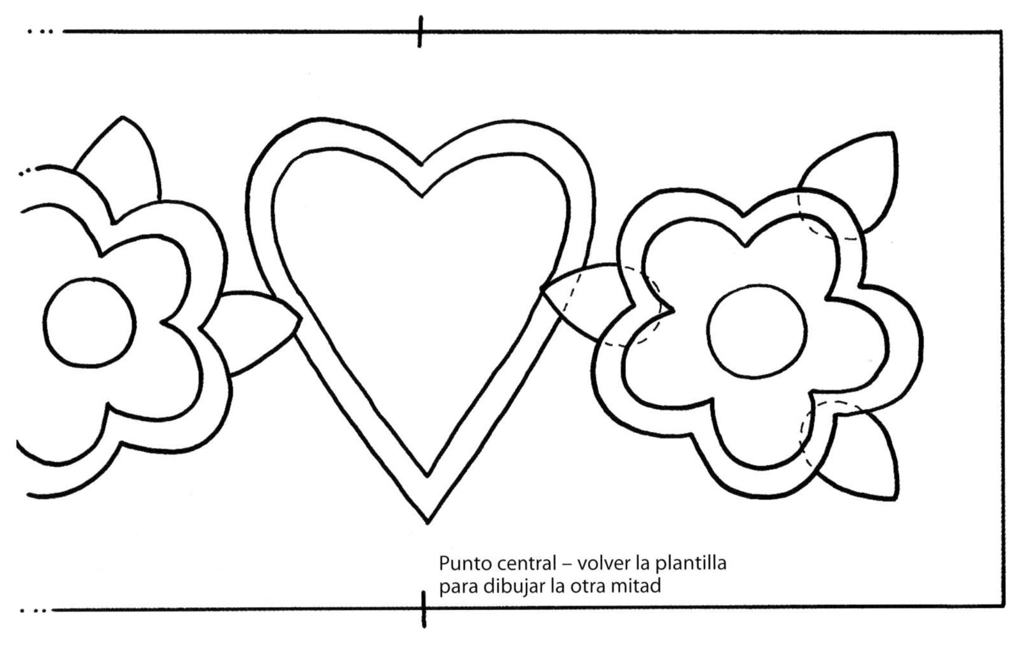

Capítulo Ha sido niña
Organizador de pared
Plantillas de bolsillos de flores y corazones – *a la mitad de su tamaño; ampliarlas un 200%*
(Las líneas discontinuas indican dónde se solapan las piezas)

Capítulo Ha sido niña
Organizador de pared
Bolsillo de escena con flores
Plantillas (parte 1) – *a la mitad de su tamaño; ampliarlas un 200%*

Capítulo Ha sido niña
Organizador de pared
Bolsillo de escena con flores
Plantillas (parte 2) – *a la mitad de su tamaño; ampliarlas un 200%*

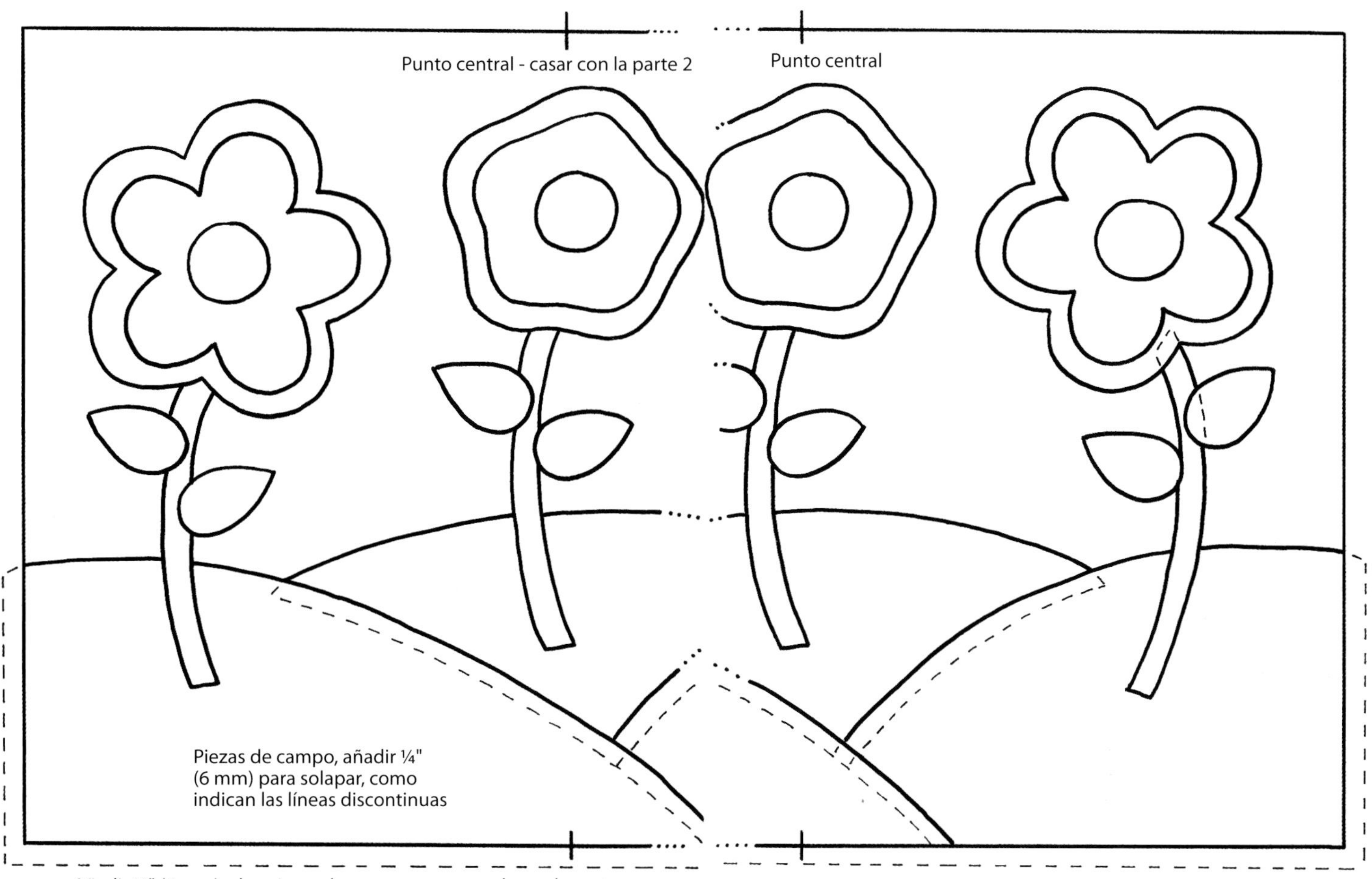

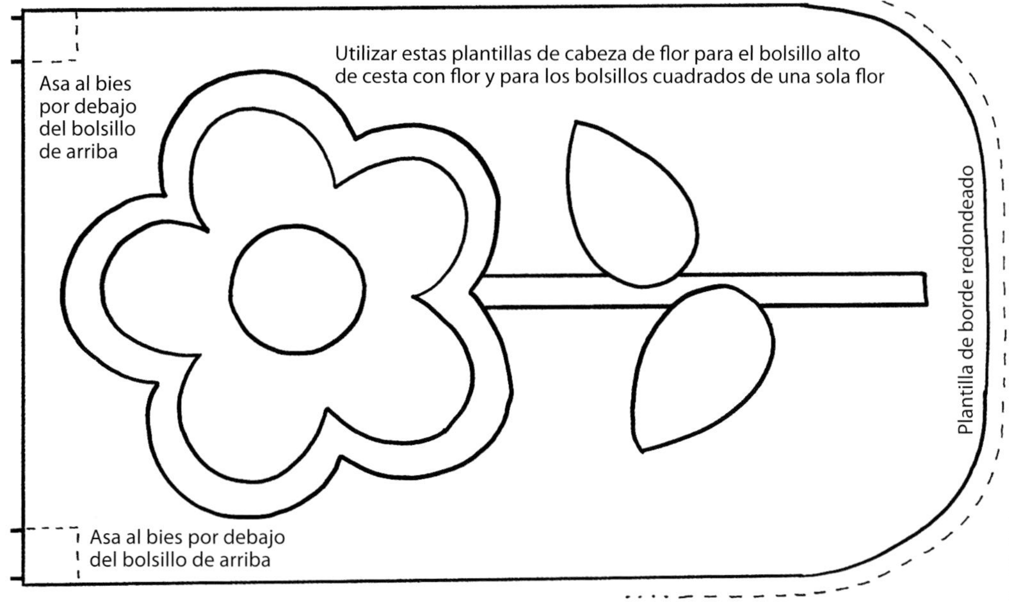

Capítulo Ha sido niña
Organizador de pared
Plantillas de bolsillos de flores –
a la mitad de su tamaño; ampliarlas un 200%

Capítulo Ha sido niña
Quilt de flores para cuna y Adornos florales
Plantillas – *a la mitad de su tamaño; ampliarlas un 200%*

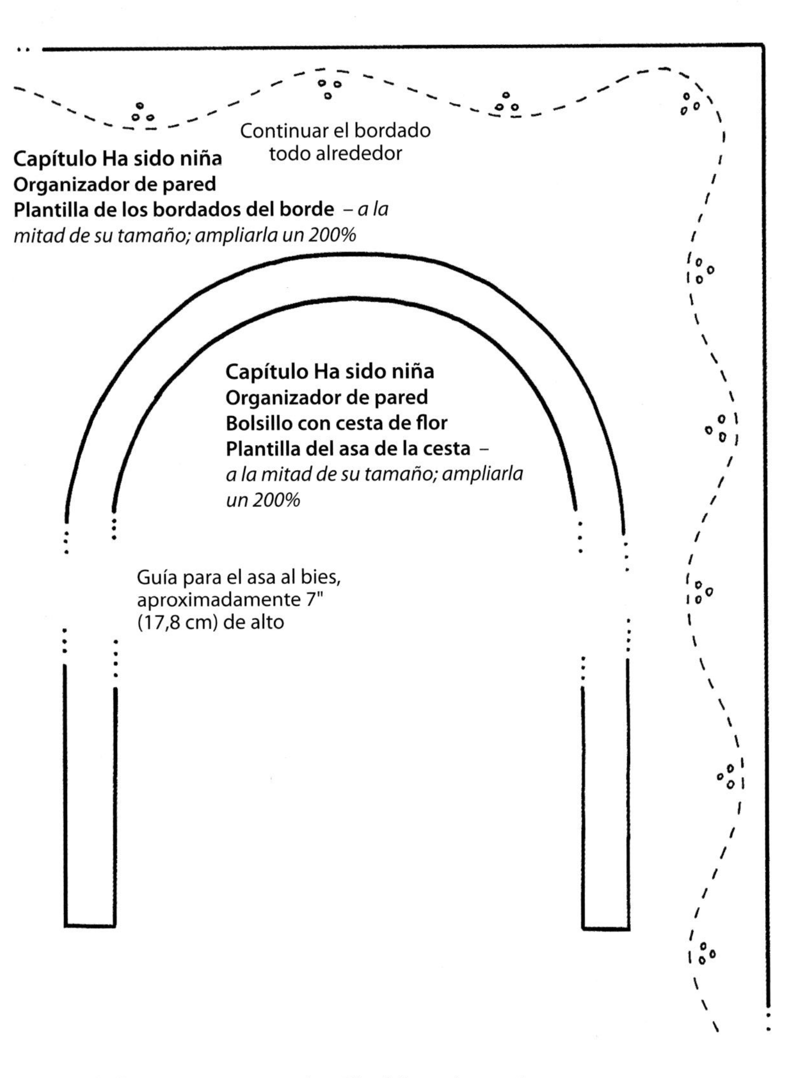

Capítulo Ha sido niña
Organizador de pared
Plantilla de los bordados del borde – *a la mitad de su tamaño; ampliarla un 200%*

Capítulo Ha sido niña
Organizador de pared
Bolsillo con cesta de flor
Plantilla del asa de la cesta – *a la mitad de su tamaño; ampliarla un 200%*

Guía para el asa al bies, aproximadamente 7" (17,8 cm) de alto

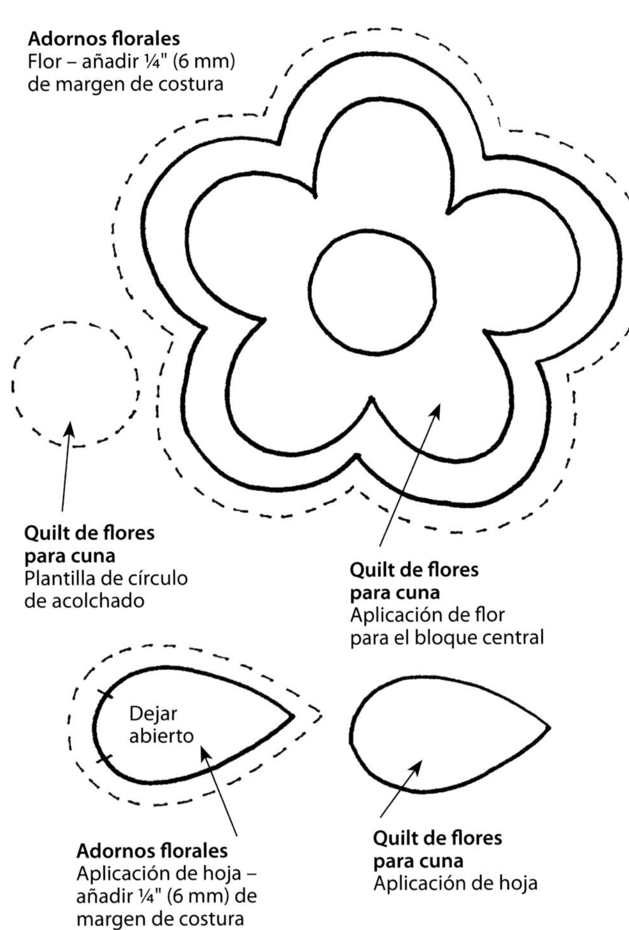

Adornos florales
Flor – añadir ¼" (6 mm) de margen de costura

Quilt de flores para cuna
Plantilla de círculo de acolchado

Quilt de flores para cuna
Aplicación de flor para el bloque central

Adornos florales
Aplicación de hoja – añadir ¼" (6 mm) de margen de costura

Quilt de flores para cuna
Aplicación de hoja

Quilt de flores para cuna – aplicación del panel central
Las ocho partes se unen como indica el diagrama
Las líneas discontinuas indican dónde se solapan las piezas
Casar las piezas en las cruces

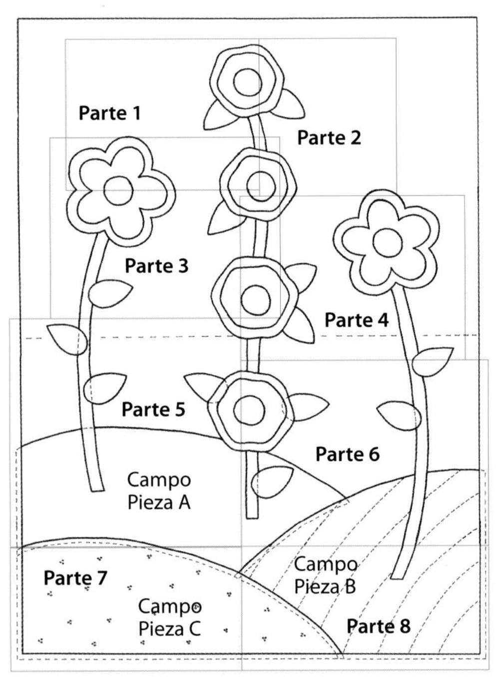

Quilt de flores para cuna
Aplicación del panel central – Parte 1

Quilt de flores para cuna
Aplicación del panel central – Parte 3
Quilt de flores para cuna
Aplicación del panel central – Parte 2
Quilt de flores para cuna
Aplicación del panel central – Parte 2

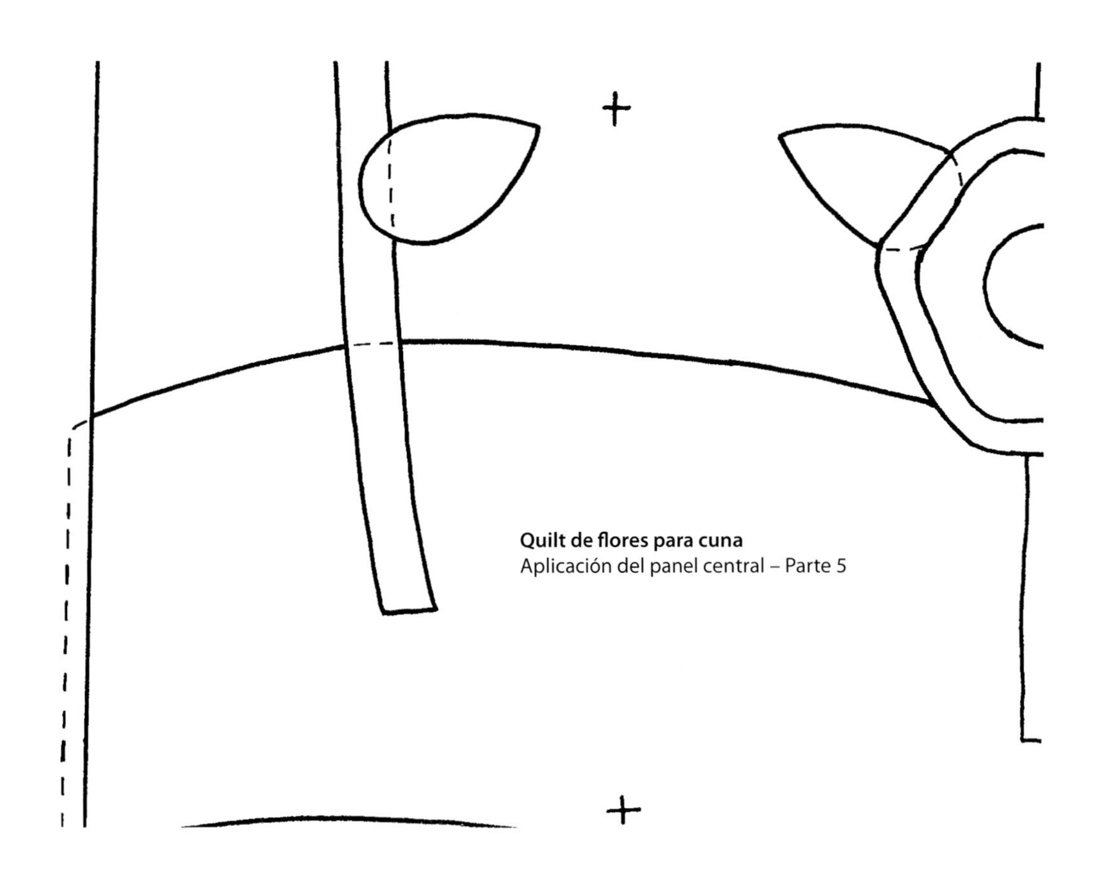
Quilt de flores para cuna
Aplicación del panel central – Parte 5

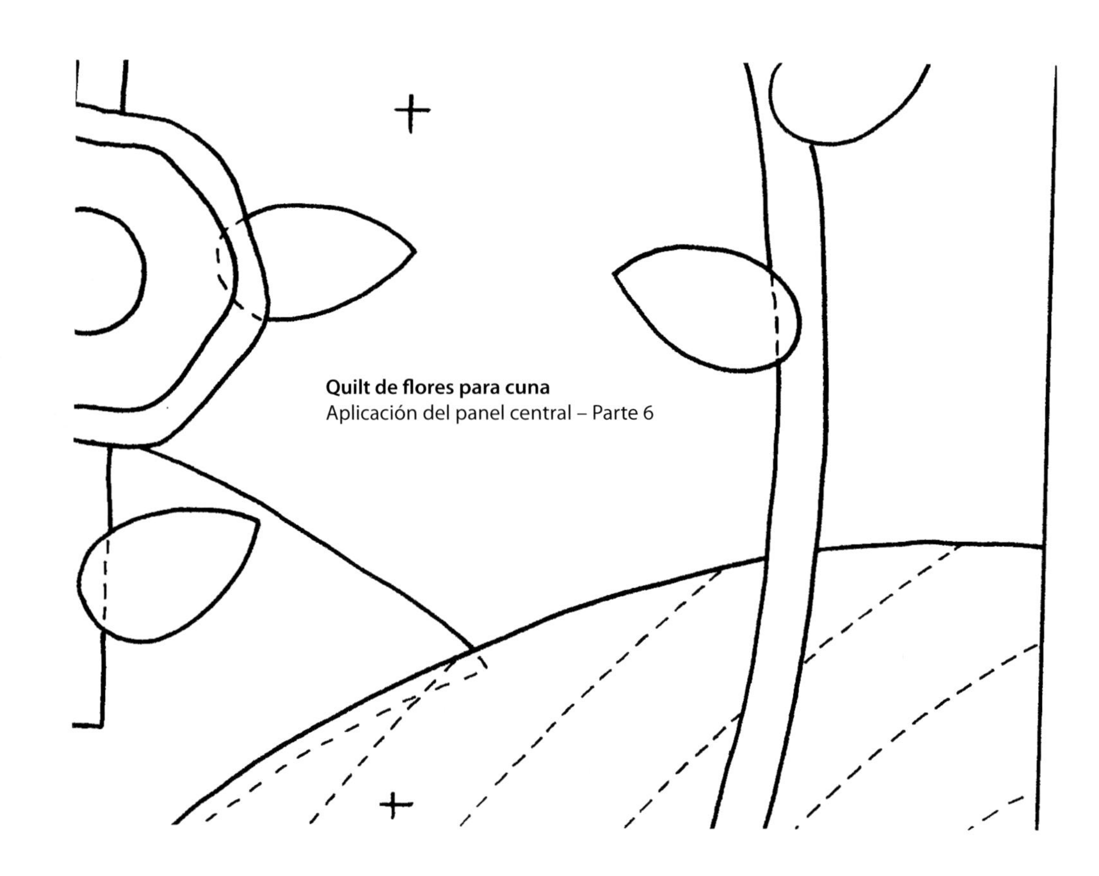
Quilt de flores para cuna
Aplicación del panel central – Parte 6

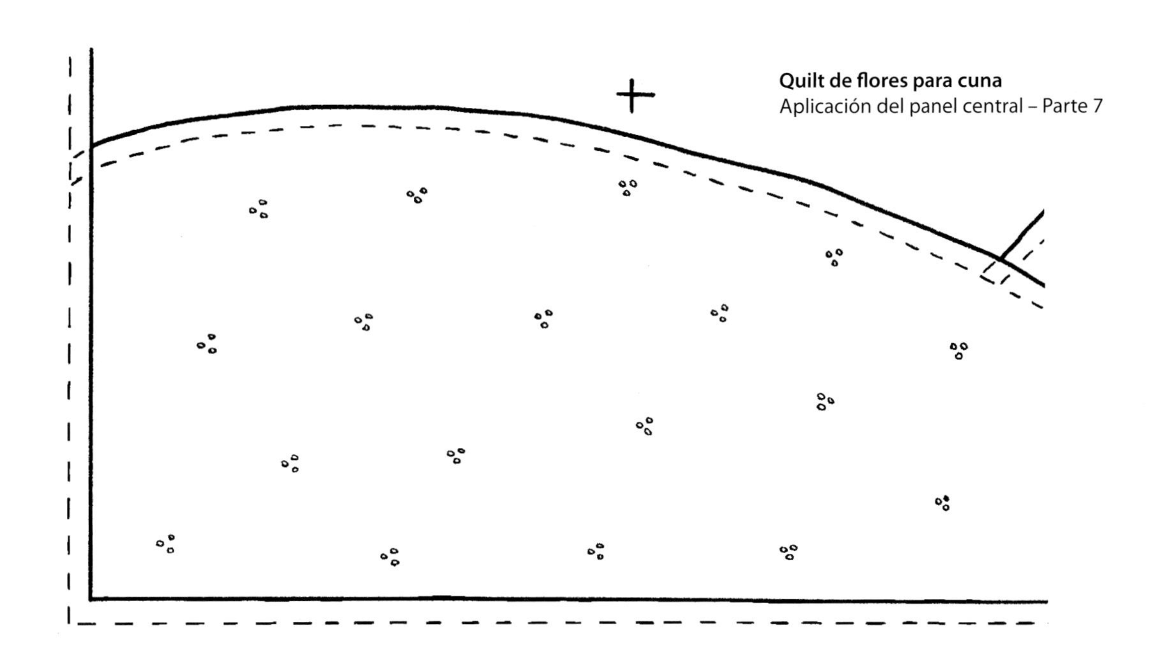
Quilt de flores para cuna
Aplicación del panel central – Parte 7

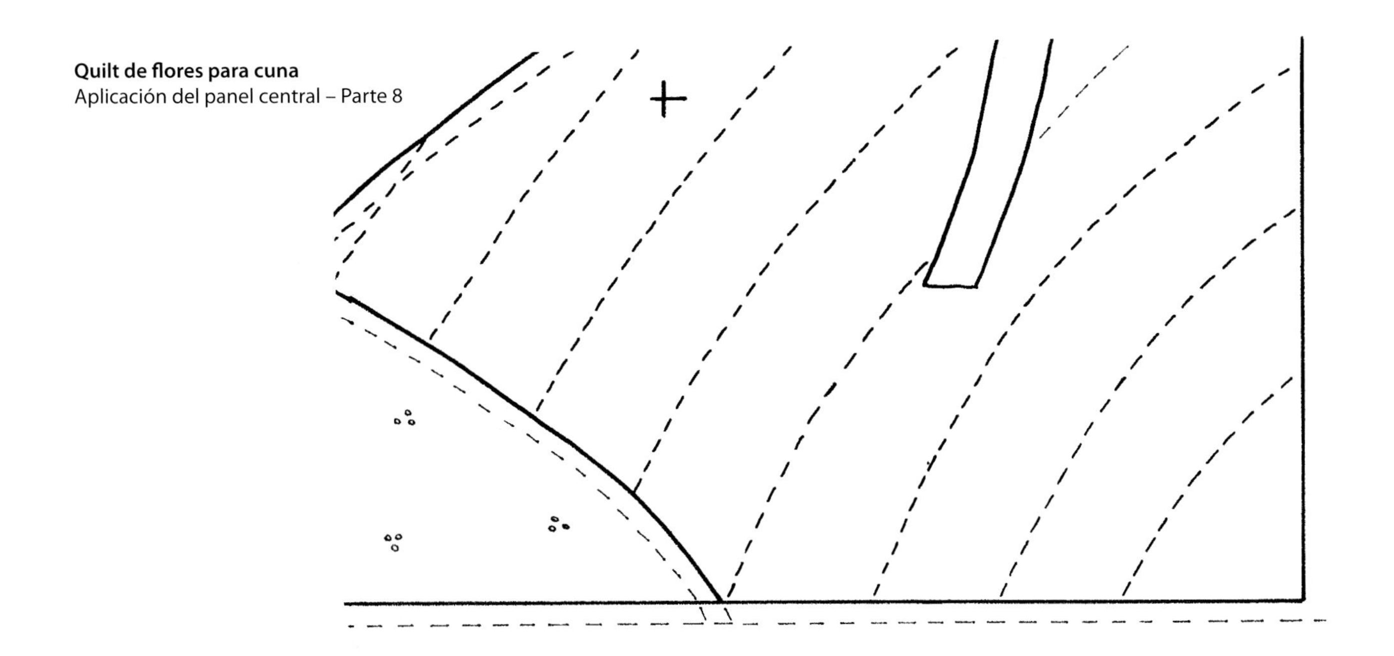
Quilt de flores para cuna
Aplicación del panel central – Parte 8

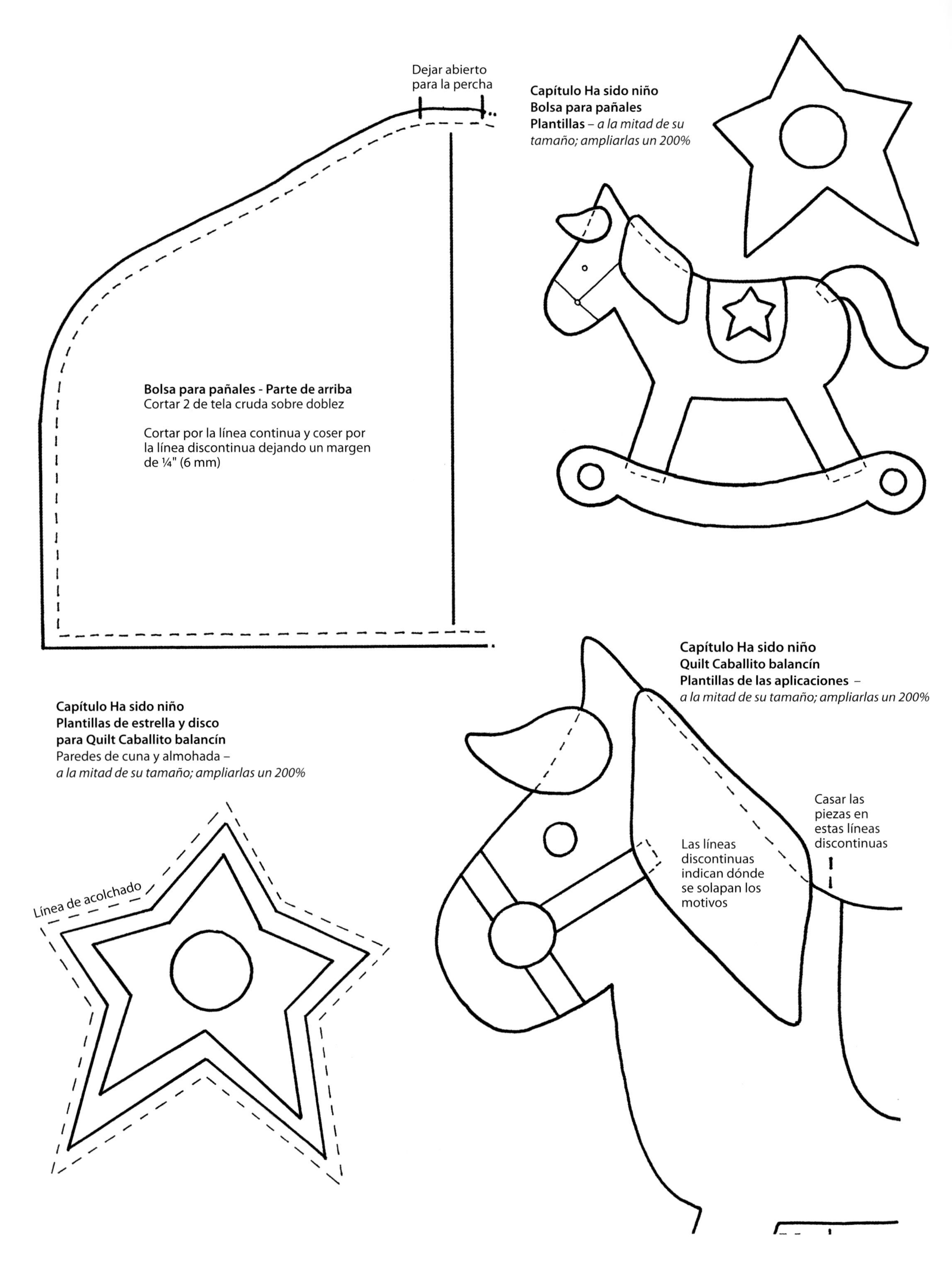
Dejar abierto
para la percha
Capítulo Ha sido niño
Bolsa para pañales
Plantillas – *a la mitad de su tamaño; ampliarlas un 200%*
Bolsa para pañales - Parte de arriba
Cortar 2 de tela cruda sobre doblez
Cortar por la línea continua y coser por la línea discontinua dejando un margen de ¼" (6 mm)
Capítulo Ha sido niño
Quilt Caballito balancín
Plantillas de las aplicaciones –
a la mitad de su tamaño; ampliarlas un 200%
Capítulo Ha sido niño
Plantillas de estrella y disco
para Quilt Caballito balancín
Paredes de cuna y almohada –
a la mitad de su tamaño; ampliarlas un 200%
Casar las piezas en estas líneas discontinuas
Las líneas discontinuas indican dónde se solapan los motivos
Línea de acolchado

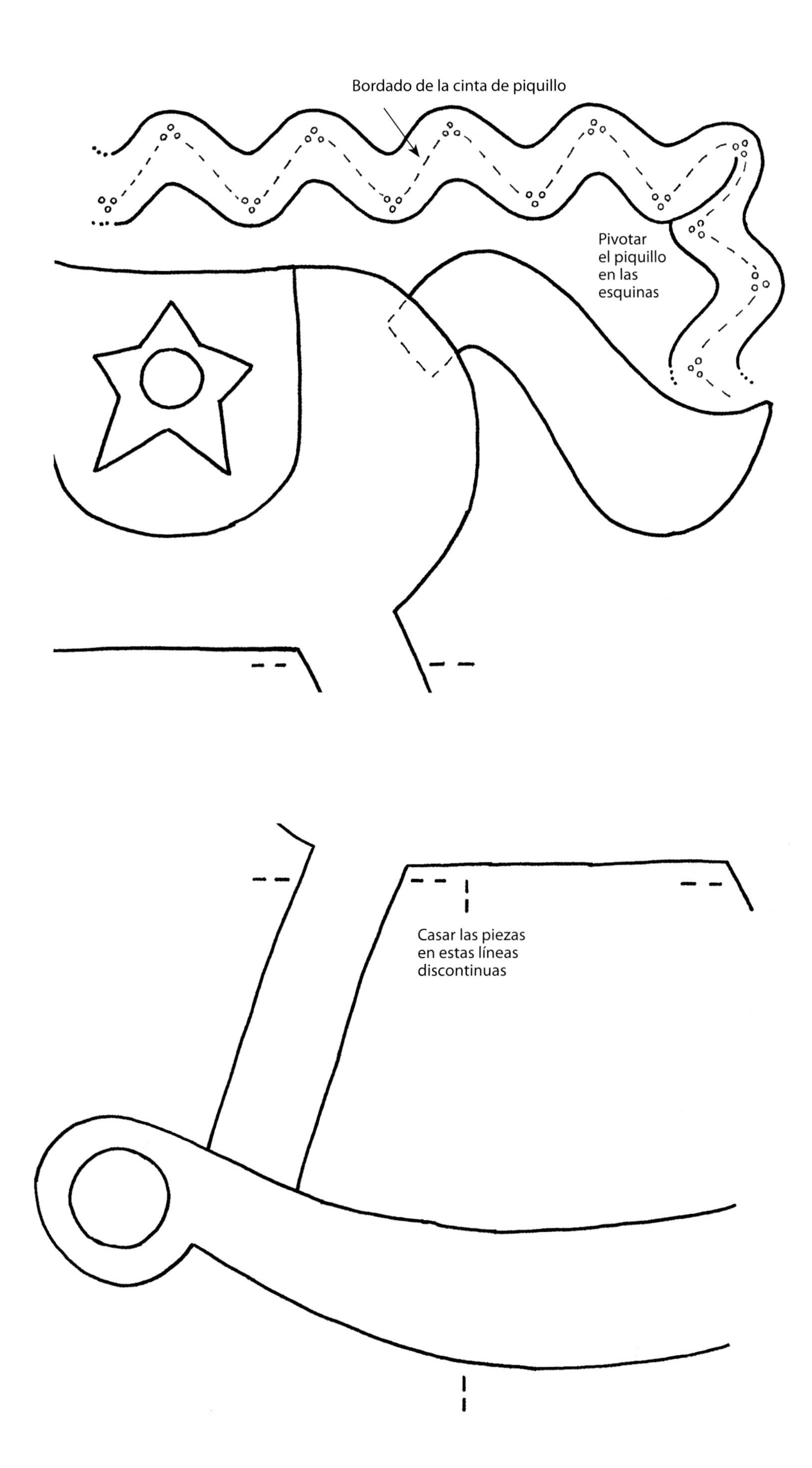
Bordado de la cinta de piquillo
Pivotar
el piquillo
en las
esquinas
Casar las piezas
en estas líneas
discontinuas

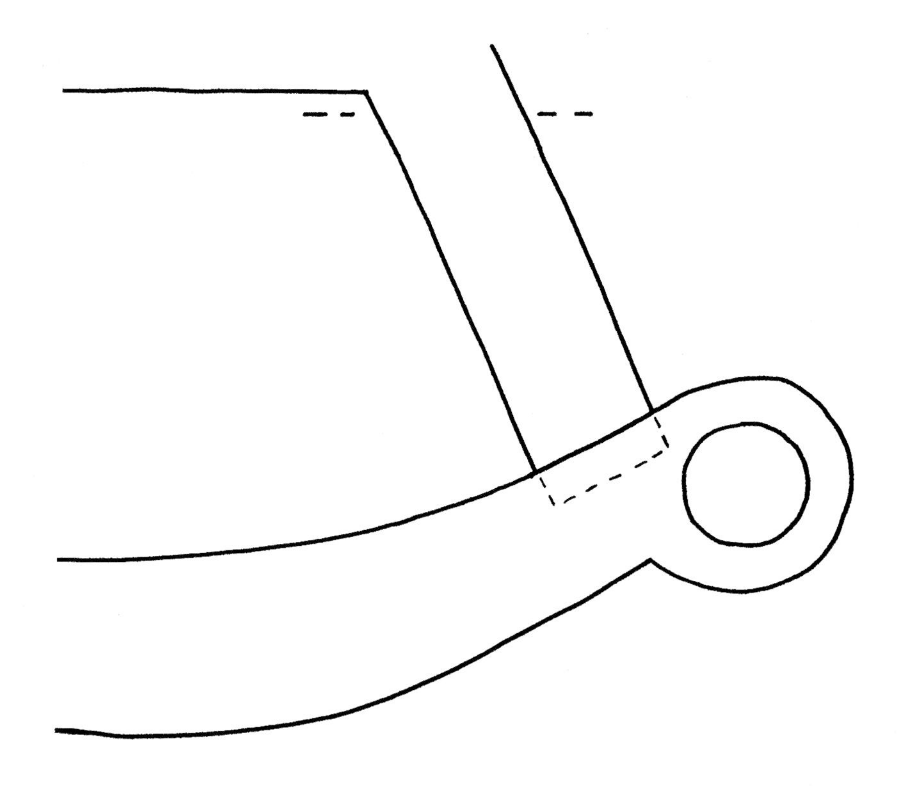

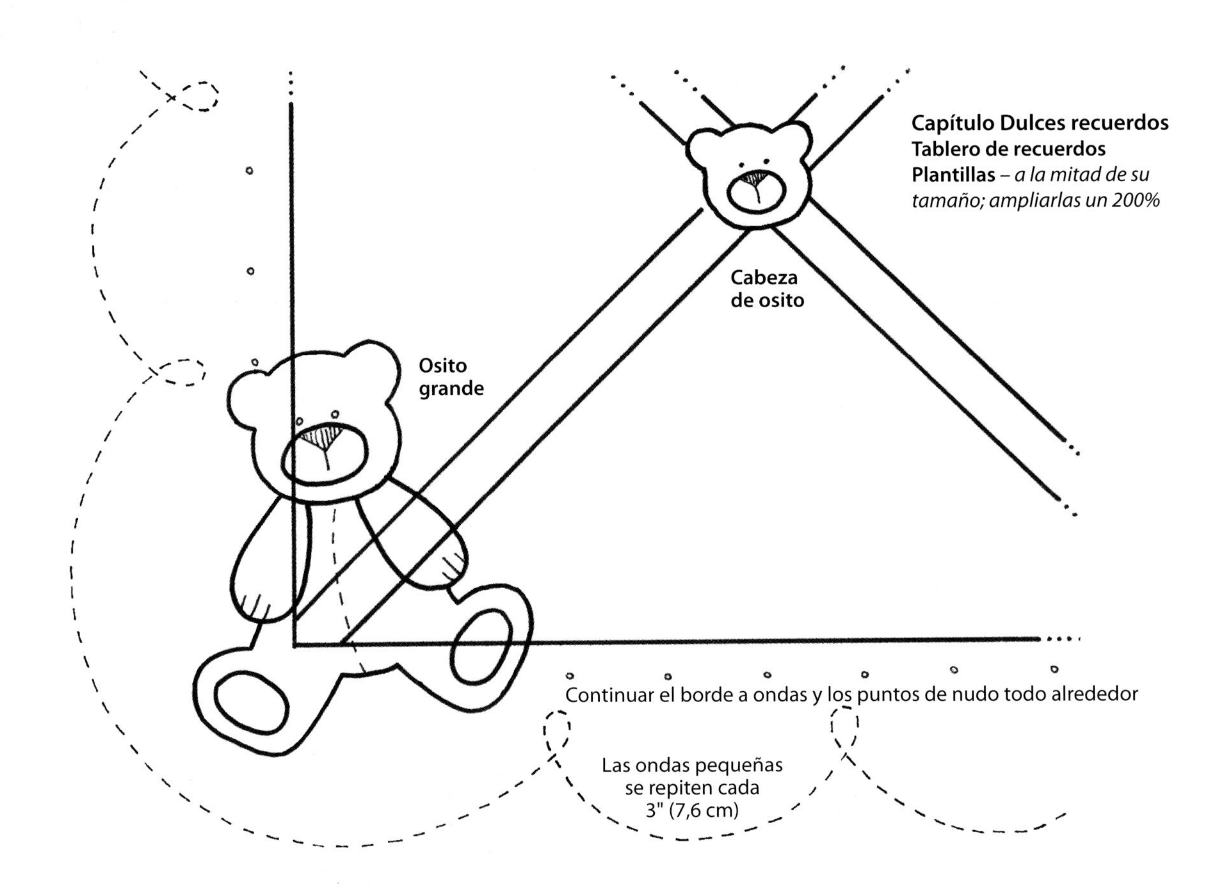
Capítulo Dulces recuerdos
Tablero de recuerdos
Plantillas – a la mitad de su tamaño; ampliarlas un 200%
Cabeza de osito
Osito grande
Continuar el borde a ondas y los puntos de nudo todo alrededor
Las ondas pequeñas se repiten cada 3" (7,6 cm)

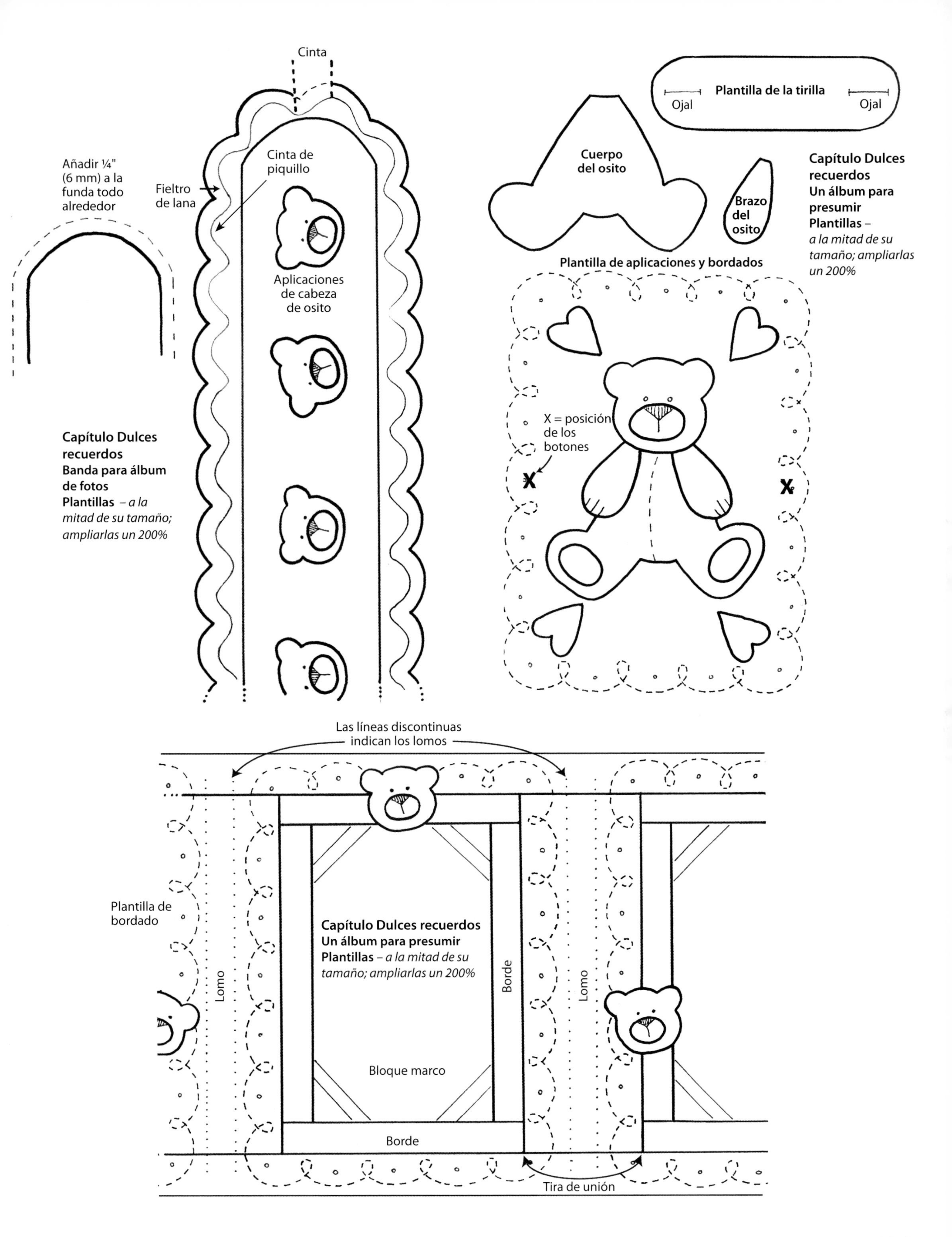
Cinta
Plantilla de la tirilla
Ojal
Ojal
Añadir ¼" (6 mm) a la funda todo alrededor
Fieltro de lana
Cinta de piquillo
Aplicaciones de cabeza de osito
Cuerpo del osito
Brazo del osito
Capítulo Dulces recuerdos
Un álbum para presumir
Plantillas – a la mitad de su tamaño; ampliarlas un 200%
Plantilla de aplicaciones y bordados
X = posición de los botones
Capítulo Dulces recuerdos
Banda para álbum de fotos
Plantillas – a la mitad de su tamaño; ampliarlas un 200%
Las líneas discontinuas indican los lomos
Plantilla de bordado
Capítulo Dulces recuerdos
Un álbum para presumir
Plantillas – a la mitad de su tamaño; ampliarlas un 200%
Lomo
Borde
Lomo
Bloque marco
Borde
Tira de unión

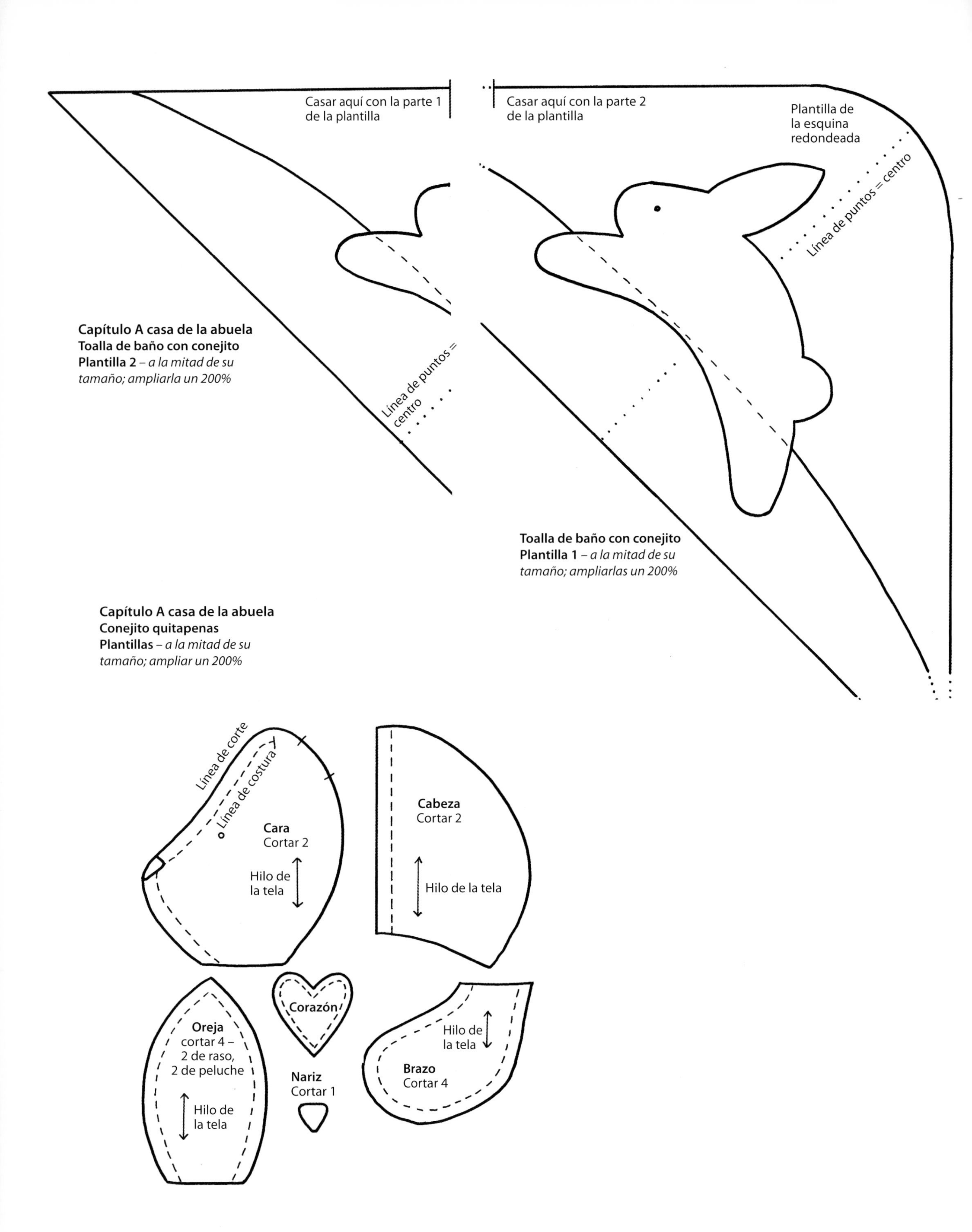
Casar aquí con la parte 1
de la plantilla
Casar aquí con la parte 2
de la plantilla
Plantilla de
la esquina
redondeada
Línea de puntos = centro
Capítulo A casa de la abuela
Toalla de baño con conejito
Plantilla 2 – a la mitad de su
tamaño; ampliarla un 200%
Línea de puntos =
centro
Toalla de baño con conejito
Plantilla 1 – a la mitad de su
tamaño; ampliarlas un 200%
Capítulo A casa de la abuela
Conejito quitapenas
Plantillas – a la mitad de su
tamaño; ampliar un 200%
Línea de corte
Línea de costura
Cara
Cortar 2
Hilo de
la tela
Cabeza
Cortar 2
Hilo de la tela
Oreja
cortar 4 –
2 de raso,
2 de peluche
Hilo de
la tela
Corazón
Nariz
Cortar 1
Hilo de
la tela
Brazo
Cortar 4

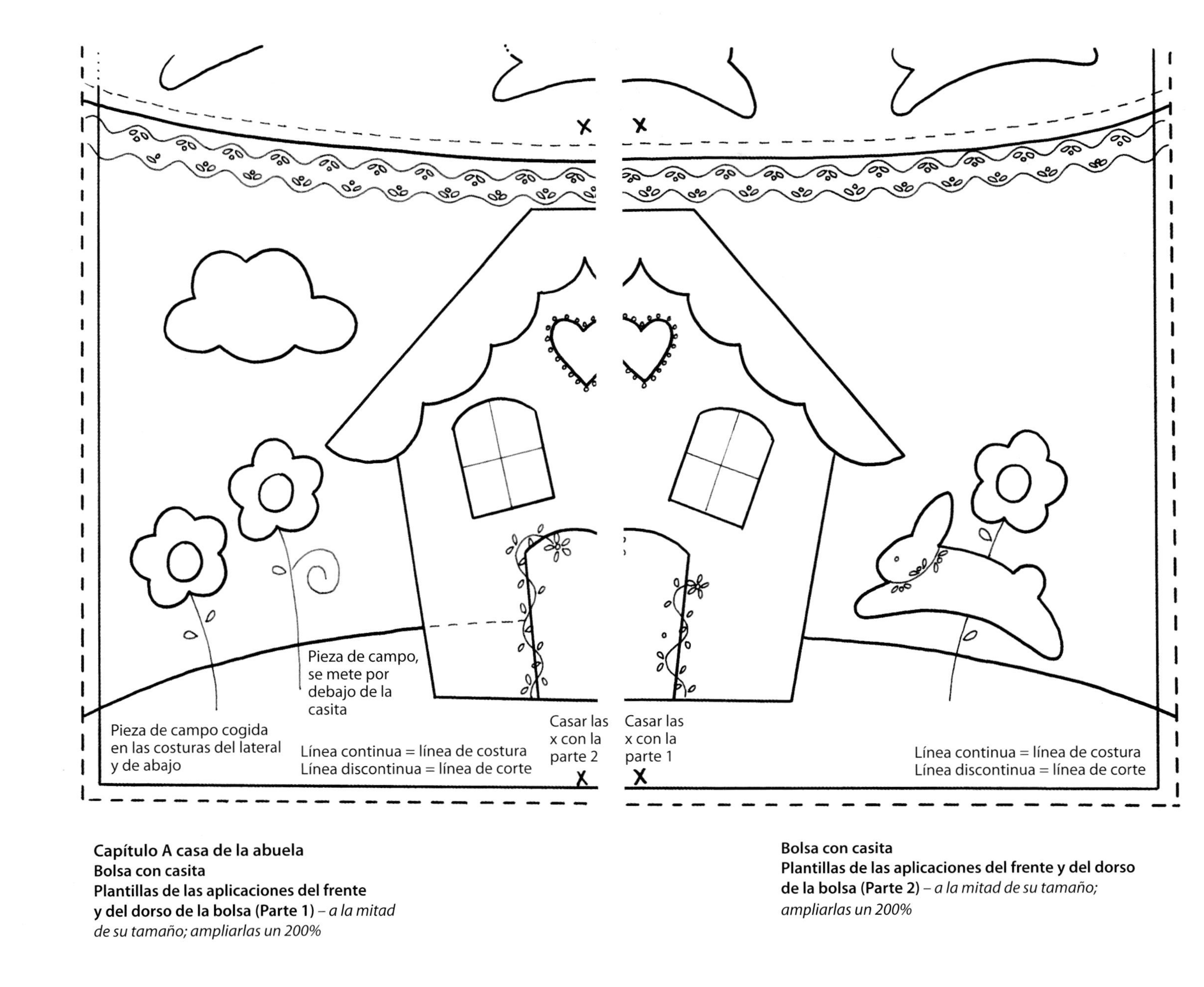

Capítulo A casa de la abuela
Bolsa con casita
Plantillas de las aplicaciones del frente y del dorso de la bolsa (Parte 1) – *a la mitad de su tamaño; ampliarlas un 200%*

Bolsa con casita
Plantillas de las aplicaciones del frente y del dorso de la bolsa (Parte 2) – *a la mitad de su tamaño; ampliarlas un 200%*

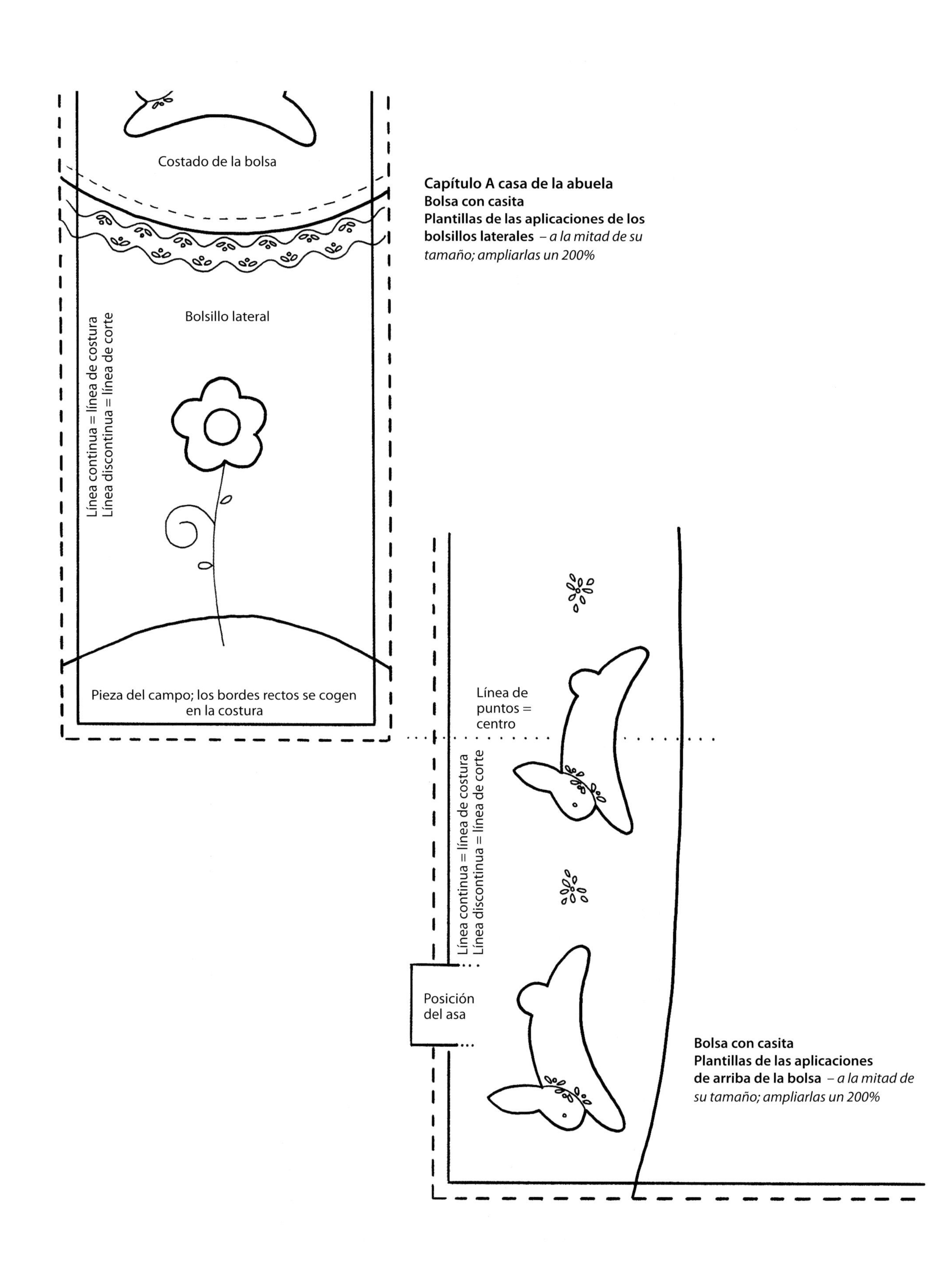

Capítulo A casa de la abuela
Bolsa con casita
Plantillas de las aplicaciones de los bolsillos laterales *– a la mitad de su tamaño; ampliarlas un 200%*

Bolsa con casita
Plantillas de las aplicaciones de arriba de la bolsa *– a la mitad de su tamaño; ampliarlas un 200%*

Capítulo Juegos
Libro de cuentos
Página 1 cubierta
Plantillas *– a la mitad de su tamaño; ampliarlas un 200%*

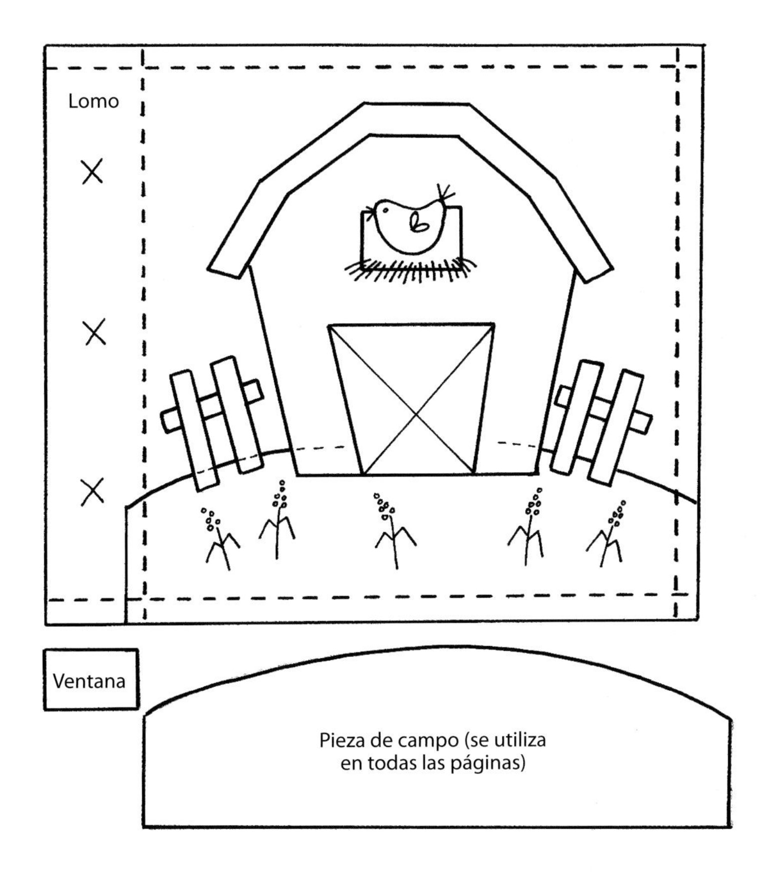

Libro de cuentos
Página 4 Plantillas *– a la mitad de su tamaño; ampliarlas un 200%*

Capítulo Juegos
Libro de cuentos
Página 2. Plantillas – *a la mitad de su tamaño; ampliarlas un 200%*

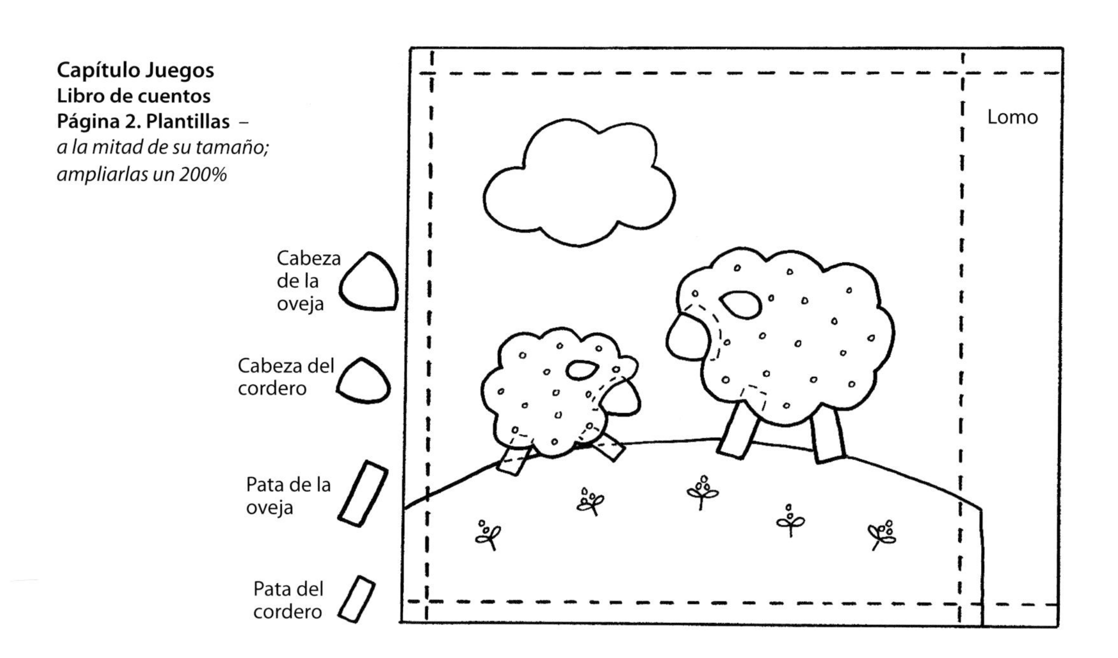

Libro de cuentos
Página 5. Plantillas – *a la mitad de su tamaño; ampliarlas un 200%*

Libro de cuentos
Página 3. Plantillas – *a la mitad de su tamaño; ampliarlas un 200%*

Capítulo Juegos
Libro de cuentos
Página 6 contracubierta. Plantillas
– a la mitad de su tamaño; ampliarlas un 200%

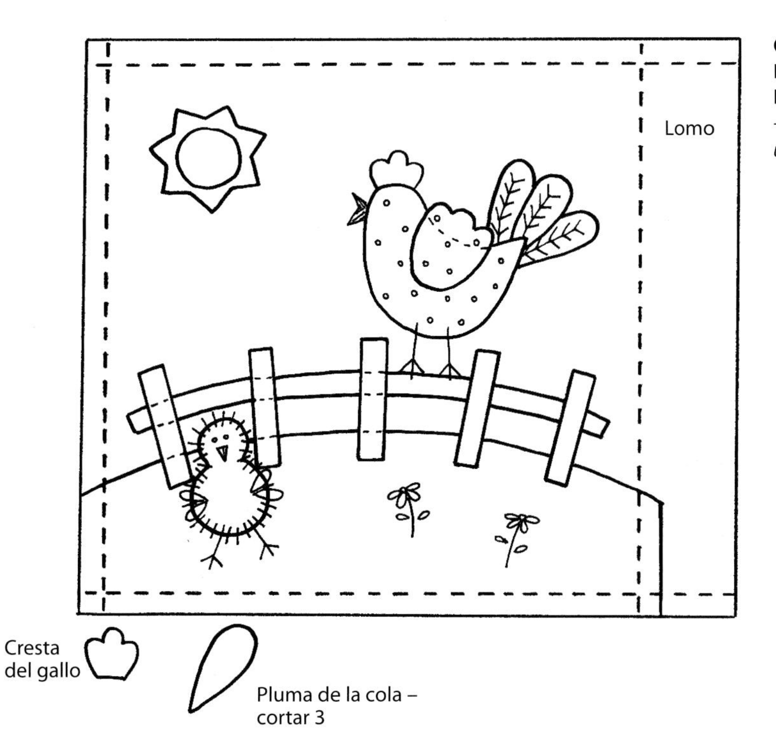

Capítulo Juegos
Quilt alfombra blandita y Bloques de construcción
Plantillas de las aplicaciones *– a la mitad de su tamaño; ampliarlas un 200%*
Todas las figuras de aplicación se cortan dejando un margen de costura de ¼" (6 mm) para remeter

Línea continua = tamaño del bloque terminado
Cortar dejando un margen de costura de ¼" (6 mm)

Cuadrado pequeño

Cuadrado grande

Triángulo pequeño

Corazón

Quilt alfombra blandita y Bloque de construcción
Plantillas de las aplicaciones *– a la mitad de su tamaño; ampliarlas un 200%*
Todas las figuras de aplicación se cortan dejando un margen de costura de ¼" (6 mm) para remeter

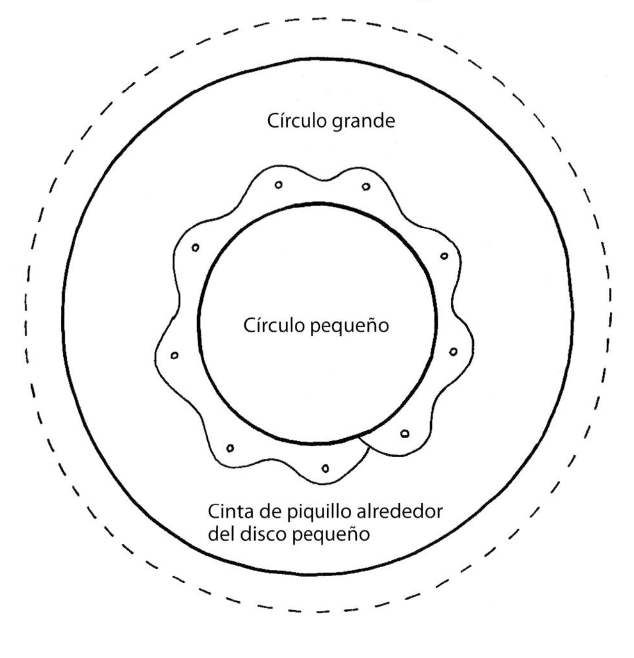

ÍNDICE ALFABÉTICO

Adornos florales 36-37
Almohada, Dulces sueños 48-49
Almohadón, ribetear 102-103

Banda para álbum de fotos 64-65, 119
Bastilla 105
Biberón, fundas para 10-12, 106
Bloques de construcción, 88-89
Bolsa con casita 81-85, 121-122
Bolsa para el sillón 24-27, 108-109
Bolsillos 24-26, 38-40, 82-85, 122
  Forro 83, 85
Bordados 11, 14, 18, 22-23, 26, 31, 39, 45, 53, 56, 60, 65, 68, 73, 83, 91, 96-97, 100, 103
Bordes a ondas 30-31
Botas calentitas 13-15, 106

Caballito balancín, motivo 17, 18, 52-53, 57-61, 107, 116-118
Caballo, motivo 17, 58-60, 92
Calcar 100
Casita, motivo 81-85, 121
Cigüeña, motivo 28-33, 109-110
Cinta de piquillo 18, 23, 45, 49, 60, 65, 84-85, 96, 99
Cintas 31, 65, 68, 70
Colgante de puerta Sol y Luna 22-23, 107
Conejito quitapenas 78-80, 120
Conejitos, motivos 75, 76-83, 120-122
Corazones, motivos 10, 16-17, 26, 31-32, 39, 72, 78, 82-83, 96, 106, 108-110, 125
Costura francesa 49, 60, 99

Entretela termoadhesiva 101
Esquemas de color
  Azul 47-61
  Lila 63-73
  Limón 9-19
  Rosa 35-45
  Verde 21-33, 75-85
Estabilizadores 51, 89, 98
Estrella, motivo 10-11, 14, 16-17, 22-23, 49, 52, 54-56, 58-59, 106-107, 116

Fieltro de lana 101
Flores, motivos 11, 14, 16, 18, 26, 36-45, 82-83, 107, 110-115, 121-122

Granero, motivo 92
Guata, poner 22, 29, 32, 37, 38, 40, 45, 48, 55, 59, 68, 97, 100
Guirnalda de bienvenida 16-19, 107

Hilo de bordar 103

Juegos 87-99, 123-125

Libros
  Un álbum para presumir 70-73, 119
  De cuentos 90-93, 123
Luna, motivos 22-23, 107

Mantitas 21, 31, 32, 78-80, 109-110
Minkee (peluche suave) 42, 60, 78
Moisés, cigüeñas en el 28-33, 109-110

Niña 35-45, 110-115
Niño 47-61, 116-118

Organizador de pared 38-41, 110-112
Ositos, motivos 63, 64-65, 66-67, 69, 70-74, 118-119
Oveja, motivo 91-92, 124

Pañales, bolsa para 50-53, 116
Peluche termoadhesivo 70-71, 81-85, 90-93, 101
Pespunte a máquina 105
Pespunte o punto atrás 104
Plantillas 100, 106-125
Pollitos 91-92, 124-125
Productos termoadhesivos 100-101
Protectores de cuna 54-56
Punto de dobladillo o deslizado 105
Punto de hoja 104
Punto de margarita 104
Punto de nudo 104
Punto de satén 105
Punto por encima o repulgo 105
Puntos 104-105

Quilt
  Alfombra blandita 94-99, 125
  Atar 103
  Caballito balancín 57-61, 116-118
  De flores para cuna 42-45, 112-115
  Ribetear 45, 60, 102-103

Rellenar 23, 37, 47, 49, 79-80, 89
Ribetear 45, 60, 77, 79, 97, 102

Sol, motivos 22-23, 107

Tablero de recuerdos 66-69, 118
Técnicas básicas 100-105
Toalla de baño con conejito 76-77, 120

Vaca, motivo 91-92, 123
Velcro 37

LA AUTORA

Barri Sue Gaudet lleva toda su vida entre telas y manualidades. Después de trabajar durante años en tiendas de tejidos y quilts, montó su propia empresa de diseños "Bareroots", en 1999. Desde entonces disfruta creando diseños originales que se reconocen fácilmente por sus delicados elementos naturales y por el encanto de los motivos que los adornan. Además de la alegría que le proporciona trabajar en lo que le gusta, Barri Sue es feliz enseñando y conociendo a personas enamoradas de los bordados.

Sus otras aficiones son las labores de punto, la pintura, los amigos y los paseos al aire libre.

Cuando sus dos hijos se hicieron mayores, Barri Sue se trasladó a vivir a una aldea de montaña de Sierra Nevada, en California, llamada June Lake. Allí reside con su esposo Ron, un perro y dos viejos gatos.

Ha abierto últimamente una tienda de costura y punto en Bishop, California, llamada Sierra Cottons & Wools.

AGRADECIMIENTOS

Mi agradecimiento al equipo de David & Charles: Cheryl, Jeni, Lin y Jo. A Cheryl por ayudarme con sus maravillosas ideas, su organización del tiempo y su apoyo a lo largo de la gestación de este libro. Gracias a Jeni y a Lin por sus conocimientos y su buen hacer, y a Jo por el precioso diseño del libro. Todas me habéis prestado una gran ayuda y os lo agradezco. Me encantó volver atrás en el tiempo y recordar cuando tenía un bebé en casa. También me gustaría dar las gracias a mis bebés Eric y Bryce por haber sido mi inspiración.

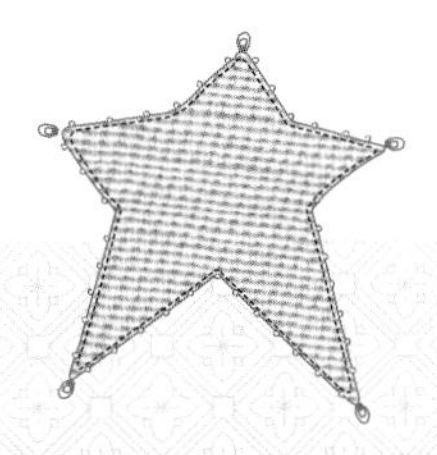

OTROS TÍTULOS PUBLICADOS

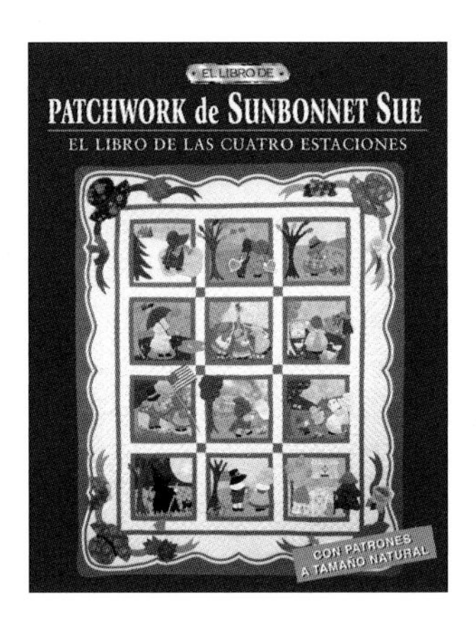

Más información sobre estos y otros títulos en nuestra página web:
www.editorialeldrac.com